AN tSEAN-SÍN

Brian Williams

Seán Ó Cadhain
a d'aistrigh

AN GÚM
Baile Átha Cliath

Buíochas agus Admhálacha

Gabhann na foilsitheoirí buíochas le Bill Le Fever, a mhaisigh na leathanaigh thrédhearcacha agus an clúdach; agus leis na heagraíochtaí agus na forais éagsúla a thug cead dúinn na pictiúir seo a leanas a fhoilsiú:

Aircív e.t.: lgh 4, 7, 11, 12, 17, 19, 21, 22, 23, 29, 35, 36, 39, 40, 43. **Zefa:** 14. **Michael Holford:** 15. **Leabharlann Ealaíne Bridgeman:** 18 ar clé – Giraudon/Bibliothèque Nationale, Páras, 18 ar deis – Leabharlann na Breataine, Londain, 23 ar clé – Músaem an Oirthir, Ollscoil Durham, 34-35, 35 ar barr – Leabharlann na Breataine, Londain, 39 ar barr – Bibliothèque Nationale, Páras, 46-47 Bailiúchán Príobháideach. **Airchív Werner Forman:** 23, 26. **Íomhánna Christie:** 26, 43. **Leabharlann Pictiúr na hEolaíochta agus na Galántachta:** 30. **Leabharlann Bodley, Oxford:** 31 – Ls Bodl. 264. Fol. 218R ar barr. **Innéacs Fotomas:** 36. **Leabharlann Institiúid Wellcome, Londain:** 37. **Músaem Ashmole, Oxford:** 42 – 1978.1836. **An tUrramach Karrach:** 44 ar clé. **Leabharlann Pictiúr Robert Harding:** 44 ar deis, 45 – Mark Stephenson.

Eagarthóir: Lionel Bender
Dearthóir: Ben White
Eagarthóir Cúnta: Madeline Samuel
Taighdeoir Pictiúr: Jennie Karrach
Eagarthóir an Téacs & Oiriúnathóir na Meán: Peter MacDonald

Eagarthóir Bainistíochta: Andrew Farrow
Stiúrthóir Ealaíne: Cathy Tincknell
Ceannasaí Táirgeachta: David Lawrence
Stiúrthóir Eagarthóireachta: David Riley

Maisitheoirí:
James Field: an clúdach, 10-11, 20-21, 26-27
Mark Stacey: 6-7, 14-15, 16-17, 28-29, 38-39
Peter Bull: na mapaí, 4-5, 30-31, 44-45
Bill Donohoe: 8-9, 24-25, 32-33, 40-41
Simon Williams: 6-7, 12-13, 16-17, 18-19, 22-23, 30-31, 34-35, 36-37, 42-43

Teidil eile in aon sraith leis seo atá i gcló:
Na Ceiltigh; Na Lochlannaigh; An tSean-Róimh; An tSean-Ghréig; An Renaissance; An Mheánaois; An tSean-Éigipt

Heinemann Educational Publishers Ltd, Halley Court, Jordan Hill, Oxford OX2 8EJ, a chéadfhoilsigh sa bhliain 1996 faoin teideal SEE THROUGH HISTORY: ANCIENT CHINA
© 1996 Reed Educational & Professional Publishing Ltd
© 1997 Rialtas na hÉireann, an leagan Gaeilge

ISBN 1-85791-248-9

Computertype Tta a rinne an scannánchló in Éirinn
Arna chlóbhualadh sa Bheilg ag Proost Tta

Le ceannach díreach ón Oifig Dhíolta Foilseachán Rialtais, Sráid Teach Laighean, Baile Átha Cliath 2 nó ó dhíoltóirí leabhar.
Nó tríd an bpost ó: Rannóg na bhFoilseachán, Oifig an tSoláthair, 4-5 Bóthar Fhearchair, Baile Átha Cliath 2.

An Gúm, 44 Sráid Uí Chonaill Uacht., Baile Átha Cliath 1

AN CLÁR

Tá breis mhaith agus míle milliún duine sa tSín agus tá sibhialtacht leanúnach ag an tSín le 5,000 bliain. Shíl na Sínigh fadó gurbh í a sibhialtacht féin an t-aon sibhialtacht dá raibh ann. Mar shampla, nuair a d'iarr prionsa réigiúin áirithe neamhspleáchas sa bhliain 960 AD ba éard a bhí le rá ag an Impire agus iontas air: 'Cad iad na cionta atá ar an bpobal seo agatsa chun go bhfágfaí as an Impireacht iad?'

RÉAMHSTAIR NA SÍNE

De thoradh na tochailte fuarthas amach gur in uaimheanna a lonnaigh céad áitreabhaigh na Síne breis is 500,000 bliain ó shin. In Zhoukoudian in oirthuaisceart na Síne i gcaitheamh na 1920-idí thángthas ar iarsmaí, codanna de chloigne, mar a measadh agus baisteadh 'Daoine Phéicing' orthu. Mhaireadh na chéad áitreabhaigh ar an bhfiach agus ar an mbiachnuasach, bhíodh uirlisí cloiche acu agus is dócha go mbíodh tinte acu.

Tuairim is 25,000 bliain ó shin dhéanadh lucht na n-uaimheanna ornáidí as sliogáin. Bhíodh deasghnátha creidimh acu le haghaidh na marbh agus chroithidís deannach dearg ar na coirp.

NA FEIRMEOIRÍ TOSAIGH

Ba í an Abhainn Bhuí (an Huaing-hó) croílár na Sean-Síne. Is é an fáth gur tugadh an t-ainm sin uirthi ná go dtugadh sí an-chuid láibe (cré bhuí) aduaidh léi ó na machairí arda intíre. **Lós** a thugtar ar an gcré bhuí sin agus shéideadh an ghaoth freisin ar fud thuaisceart na Síne í ionas go mbíodh brat di ar an talamh.

Pota tríchosach cré-umha ar a bhfuil claibín. Leagtaí isteach i gcroí na tine é le gurbh fhearr a d'fhiuchfadh sé. Aimsir Ríshliocht Shang idir an 16ú-11ú céad R.Ch. a rinneadh é. I múnlaí a dhéantaí árthaí maisithe mar é seo. Dhéantaí múnla cré as samhail chéarach den phota. Bhíodh an múnla cré ilchodach agus shnaidhmtí na codanna ina chéile mar a bheadh míreanna mearaí ann.

Tuairim 5,000 bliain ó shin thosaigh na daoine ag cur fúthu i má torthúil na Huaing-hó. Chuir siad síolta agus thóg siad bailte beaga. Bhíodh taoisigh ar na bailte a bhíodh ina sagairt agus ina ngaiscígh is cosúil. As measc na dtaoiseach sin a tháinig ríthe tosaigh na Síne – **Ríshliocht Shang.**

RÍTHE AGUS IMPIRÍ

Ní tír aontaithe a bhí sa tSean-Sín ach ríochtaí neamhspleácha. Corruair bhíodh ríshliocht áirithe sách láidir chun ceannas a bhaint amach ar an tír ar fad. Ach go minic bhíodh na ríochtaí in adharca a chéile ag iarraidh an ceannas a bhaint amach.

Ainmnítear na tréimhsí éagsúla i stair na Síne as an ríshliocht a bhí i gceannas san am. Ba é an chéad ríshliocht a bhfuil eolas againn ina dtaobh ná ríshliocht Shang a tháinig i gcumhacht tuairim 1700 R.Ch. Ón am sin i leith bhí ríshleachta éagsúla ann go dtí tús an 20ú céad (1912) nuair a rinneadh poblacht den tSín.

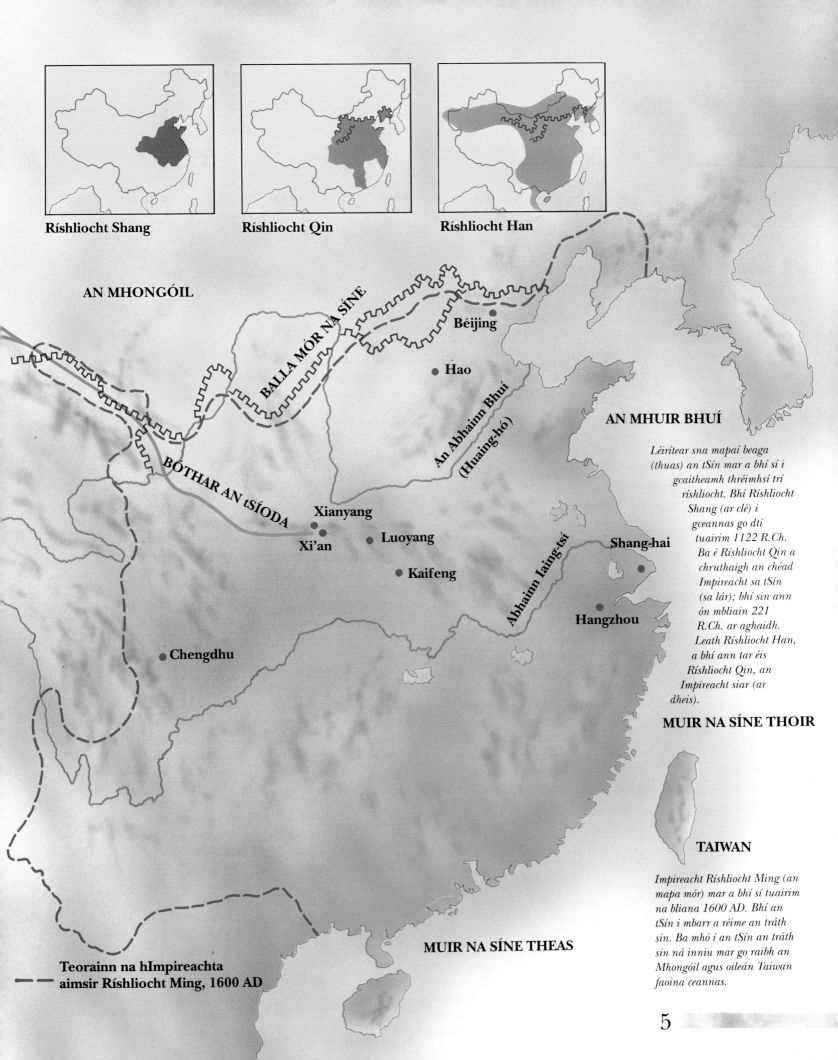

Ríshliocht Shang

Ríshliocht Qin

Ríshliocht Han

AN MHONGÓIL

BALLA MÓR NA SÍNE

Béijing

Hao

An Abhainn Bhuí
(Huaing-hó)

AN MHUIR BHUÍ

BÓTHAR AN tSÍODA

Xianyang

Xi'an

Luoyang

Kaifeng

Abhainn Iaing-tsí

Shang-hai

Hangzhou

Chengdhu

Léirítear sna mapaí beaga (thuas) an tSín mar a bhí sí i gcaitheamh thréimhsí trí ríshliocht. Bhí Ríshliocht Shang (ar clé) i gceannas go dtí tuairim 1122 R.Ch. Ba é Ríshliocht Qin a chruthaigh an chéad Impireacht sa tSín (sa lár); bhí sin ann ón mbliain 221 R.Ch. ar aghaidh. Leath Ríshliocht Han, a bhí ann tar éis Ríshliocht Qin, an Impireacht siar (ar dheis).

MUIR NA SÍNE THOIR

TAIWAN

Impireacht Ríshliocht Ming (an mapa mór) mar a bhí sí tuairim na bliana 1600 AD. Bhí an tSín i mbarr a réime an tráth sin. Ba mhó í an tSín an tráth sin ná inniu mar go raibh an Mhongóil agus oileán Taiwan faoina ceannas.

MUIR NA SÍNE THEAS

– – – **Teorainn na hImpireachta aimsir Ríshliocht Ming, 1600 AD**

5

AN CHRÉ-UMHAOIS

Aimsir Ríshliocht Shang a fuarthas amach den chéad uair cén chaoi le huirlisí agus airm chré-umha a dhéanamh. Bhí ríthe Shang ina ríthe agus ina sagairt san am céanna. Ba bhreá galánta an saol a chaithidís ach ba bharbartha an saol é freisin. Bhíodh lucht fáistine acu chun comhairle a chur orthu go háirithe maidir le cá háit a dtógfaidís cathair nua.

'D'iarr mé comhairle ar bhlaosc na toirtíse agus is é an freagra a tugadh orm ná: "Ní haon áit é seo chun cónaí ann." '

An Rí Pan Geng

I dtuaisceart na Síne a bhíodh cónaí ar Ríshliocht Shang agus ba iad a thóg na chéad chathracha sa tSín. Bailte beaga a bhí iontu ar dtús agus ballaí cosanta thart orthu. Bhíodh an rí ina chónaí i halla mór a dhéantaí as cuaillí adhmaid. Bhíodh plástar láibe ar na ballaí agus caitheamh amach ar an díon. Bhíodh tithe na ngnáthdhaoine níos lú agus iad déanta as cré agus as maidí ar fhaitíos creathanna talún. Mar go bhfuarthas cnámha daoine faoi na páláis síltear go maraítí cimí mar íobairt nuair a bhíodh páláis nua á dtógáil.

CNÁMHA FEASA

Thóg Ríshliocht Shang príomhchathair nua sé huaire ar a laghad. Sula n-aistrídís d'iarradh an rí comhairle a shinsear ar lucht feasa, i.e. draíodóirí cúirte a bhaineadh leas as cnámha ainmhithe agus as blaoscanna toirtísí chun fios a fháil. Ní dhéanadh Ríshliocht Shang aon cheann de na nithe seo a leanas gan dul i gcomhairle le lucht feasa: baile a thógáil,

Baile beag daingean de chuid thréimhse Ríshliocht Shang é seo. Tá balla thart air agus teach geata ann mar bhealach isteach. Tá tobar ann freisin. Tithe ceann tuí is mó atá ann ach tá teach áirgiúil ag an tiarna (ar dheis).

Cré-umha á theilgean i múnlaí. Sa chúlra tá áith chun na múnlaí cré a chruachan. Bhíodh múnla ilchodach acu le haghaidh árthaí móra maisithe. Is amhlaidh a dhoirtí an cré-umha leáite isteach sa mhúnla agus nuair a chruafadh sé bhristí an múnla.

tús a chur le cogadh, síol a chur ná dul ag fiach. Sa bhliain 1936 thángthas ar 17,000 cnámh agus blaosc feasa in áit amháin.

Chuireadh an fear feasa bior te snáthaide leis an gcnámh nó leis an mblaosc agus scoilteadh an teas í. Bhaineadh an fear feasa ciall as patrún na scoilte ansin mar gur tuigeadh dóibh gur chód a bhíodh ann. Thugadh sé freagraí ar cheisteanna trí litreacha a scríobadh ar an gcnámh. Ba í sin an scríbhneoireacht ba luaithe sa tSín agus tá ainmneacha go leor de Ríshliocht Shang le léamh aisti. I dtús báire ba iad na fir feasa amháin a bhíodh in ann an 'scríbhneoireacht draíochta' a léamh – scríbhneoireacht, dála an scéil, atá an-chosúil le litreacha na Nua-Shínise.

TEILGEAN CRÉ-UMHA
Bhíodh ceardaithe Ríshliocht Shang in ann cré-umha – meascán de chopar agus de stán – a dhéanamh. Dhéanaidís soithí maisithe cré-umha do na ríthe le haghaidh deasghnáth creidimh agus mar chomharthaí saibhris. Dhéanadh na hoibrithe miotalóireachta sleánna agus halbaird (arm ar nós tua ar a mbíodh cos fhada adhmaid) as cré-umha ina gcuid teilgcheártaí.

Bhíodh na ceardlanna in aice leis an bpálás agus an obair a dhéantaí iontu faoi smacht an rí. Ar na ceardaithe a bhíodh ag obair sna ceardlanna sin bhí: lucht déanta cré-umha, potairí, saoir chloiche agus snoíodóirí séada (*jade*). Ba aicme bheag iad na ceardaithe ach ba thábhachtaí iad ná na feirmeoirí beaga. Ach b'ísle iad ná na huaisle, is é sin, na laochra troda, na cúirteoirí agus ginearáil an rí.

POTAÍ CÓCAIREACHTA
Bhí scil na potaireachta ag muintir na Clochaoise sa tSín ach d'éirigh le muintir Ríshliocht Shang feabhas mór a chur ar dhéanamh potaí. Bhíodh na potaí ab fhearr acu maisithe go galánta ach gnáthphotaí a bhíodh ag an gcosmhuintir. I bpota ar a dtugtaí **ding** a bhruití an bia. Trí chos a bhíodh faoi agus chuirtí ar an tine é. Bhíodh an taobh istigh den phota roinnte ina chodanna chun go bhféadfaí bianna éagsúla a bhruith ann san aon am amháin. Nuair a rinneadh an cineál sin pota ar dtús, aimsir na Clochaoise sa tSín, is amhlaidh a ghreamaítí trí phota cré ina chéile.

Árthach cré-umha le haghaidh fíona é seo a rinneadh i gcaitheamh thréimhse Ríshliocht Shang. Tá a fhios againn go n-úsáidtí le haghaidh deasghnáth é, íobairtí mar shampla, mar go bhfuil sé an-mhaisithe. Ba í tréimhse Ríshliocht Shang ba thábhachtaí sa seansaol ó thaobh earraí cré-umha a dhéanamh.

Léiríonn an radharc trédhearcach daoine agus ainmhithe á n-adhlacadh i dteannta an rí. Léiríonn an radharc iomlán daoine agus ainmhithe á n-adhlacadh sa tuama agus an chuma a bhí ar an tuama ina dhiaidh sin nuair a rinneadh áit bheannaithe de. Léiríonn leathanach na sonraí seomra adhlactha an rí agus an carbad istigh ann.

Nuair a bhíodh rí de chuid Ríshliocht Shang á chur is iomaí rud a chuirtí in éineacht leis. Chomh maith leis na nithe ba luachmhaire leis féin chuirtí a chuid carbad, ainmhithe, cimí agus searbhóntaí.

TUAMAÍ ANYANG
Is léir ar na huaigheanna a fuarthas in Anyang – tá 11 uaigh rí ann agus breis is 1000 uaigh eile – gur bhain idir

ghalántacht agus uafás le Ríshliocht Shang.

Clais mhór a bhí i ngach aon uaigh acu, cuma croise fada uirthi agus í dírithe ó thuaidh is ó dheas. Bhíodh fánáin isteach iontu agus thiomántí na híobartaigh a bhí le dul leis an rí go dtí an saol eile síos feadh na bhfánán sin, e.g. cimí cogaidh, searbhóntaí, grúmaeirí, araí, mná, capaill, daimh, muca, fianna agus madraí. Chuirtí earraí luachmhara an rí san uaigh freisin, e.g. airm agus coirí cré-umha, earraí snoite

Fuarthas an clogad cré-umha seo i dtuama de chuid Ríshliocht Shang in Anyang.

séada, cnámha snoite, potaireacht agus dealbha cloiche. Fuarthas cnámharlach madra in uaigh amháin, rud a léiríonn gur pheata nó madra fiaigh leis an rí é.

DAOINE MAR ÍOBAIRT
Dhéantaí íobairt ar dhaoine mar chuid de dheasghnáth an adhlactha, e.g. ar chimí cogaidh. Is cosúil go mbaintí an cloigeann díobh agus go leagtaí iad i gcuid eile den uaigh mar léiriú ar ghaisce an rí i gcúrsaí cogaíochta.

AN CHLAIS Á LÍONADH
Tar éis corp an rí a leagan sa seomra adhlactha chuirtí díon ar an seomra. Líontaí na fánáin le hairm chré-umha, le soithí lán de bhia, agus le soithí deasghnácha. Chuirtí a thuilleadh searbhóntaí agus cimí marbha sa chlais ansin. Chlúdaítí an t-iomlán le sraitheanna créafóige ansin. Shatlaíodh sclábhaithe ar gach uile shraith go mbíodh tulán créafóige os cionn na huaighe.

Ba dhearthár óg leis an rí seachas mac leis a bhíodh i mbun an deasghnátha adhlactha agus ba é a thagadh i gcomharbas ar an rí freisin.

Léiriú ar chuid de:
1 An tuama ina bhfuil corp an rí
2 Sclábhaithe ag leagan clár ar an uaigh
3 Saighdiúirí a íobraíodh
4 Saighdiúir ar garda ar an uaigh
5 Sclábhaithe ag cur créafóige ar an uaigh
6 A thuilleadh saighdiúirí íobartha á gcur san ionad cuí

Radharc ginearálta:
1 An scrín lárnach
2 Ardán
3 Sagairt
4 An fánán chuig an ardán
5 Teampaill bheaga
6 Sagairt agus fir naofa

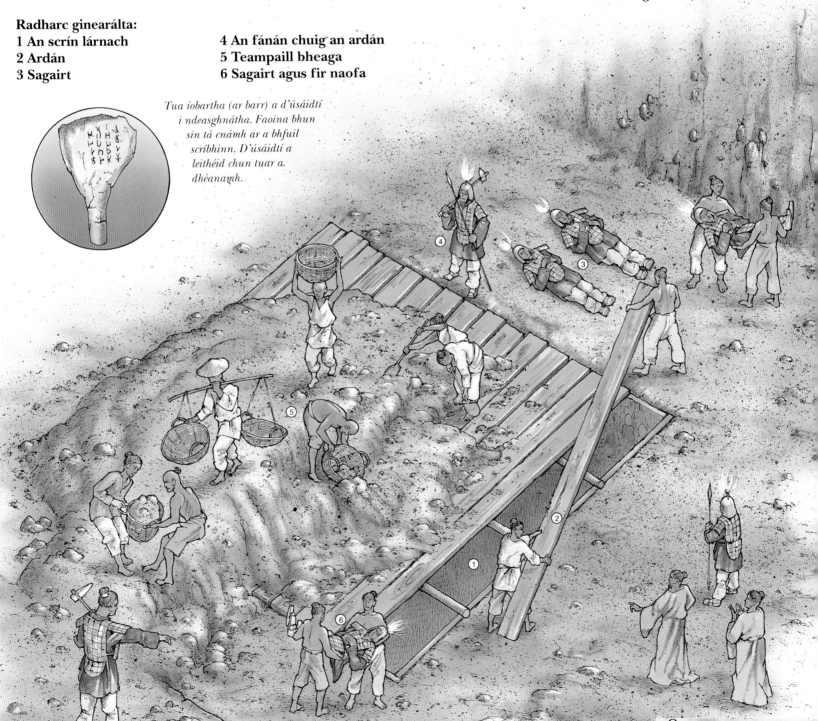

Tua íobartha (ar barr) a d'úsáidtí i ndeasghnátha. Faoina bhun sin tá cnámh ar a bhfuil scríbhinn. D'úsáidtí a leithéid chun tuar a dhéanamh.

9

CÚRSAÍ TALMHAÍOCHTA

Feirmeoirí beaga (tuathánaigh) ba ea formhór mhuintir na Síne fadó agus shaothraídís geadáin bheaga talún. Ba é an baile beag nó an ghráig croílár gach pobail áitiúil sa tSín. Ba é an rí a bhíodh i mbun deasghnáth chun go mbeadh fómhar maith ann.

Tuathánach ag treabhadh agus damh ag tarraingt an chéachta. Carbaid chogaidh a tharraingíodh na capaill, a bhí an-luachmhar. Daimh agus buabhaill a dhéanadh an obair chrua.

BARRA AGUS AINMHITHE
Muiléad agus cruithneacht a shaothraíodh na feirmeoirí tosaigh in abhantracha thuaisceart na Síne. Ach shaothraítí rís i ndeisceart na Síne, áit níos teo agus níos fliche. Bhíodh muca agus cearca acu freisin ach ba bheag ime ná bainne a bhíodh acu mar nach mbíodh dóthain féaraigh le haghaidh eallaigh. Daimh agus buabhaill uisce a bhíodh acu chun cairteacha agus céachtaí a tharraingt.

Ba é an baile beag croílár an tsaoil sa tSín. Ach de bhrí go raibh cuid mhaith den talamh ró-shléibhtiúil nó ró-thirim chun go saothrófaí barra, b'éigean do na feirmeoirí leas a bhaint as an uile orlach den talamh torthúil. Ar an mbaile áirithe seo tá na daoine ag cur plandaí óga ríse i ngarraí atá faoi uisce. Tá daoine eile ag treabhadh agus ag iompar barr. Ba lárionaid trádála áitiúla iad na bailte beaga freisin.

POBAIL

I mbailte beaga nó i ngráigeanna le hais na n-aibhneacha a chónaíodh na daoine agus chomhoibrídís le chéile mar phobal. Ar thalamh tirim thuaisceart agus lár na Síne rinne na daoine díoga agus bealaí uiscithe isteach sna goirt. Ba iad na feirmeoirí, más ea, na chéad innealtóirí a bhí sa tSín.

Ba é an t-uisce croílár an tsaoil acu. Bhíodh gréasán díog ann le huisciú a dhéanamh ar na goirt ríse agus ar na linnte ina mbíodh iasc le fáil.

Cac daoine a bhíodh acu mar aoileach mar gur bheag ainmhí feirme a bhíodh ann. Thugtaí go dtí na garraithe é i gcairteacha agus i mbaraí.

COMHUAIGHEANNA

Bhíodh comhuaigheanna sna bailte beaga áit a gcuirtí na marbháin ina sraitheanna néata. Chreideadh na Sínigh go diongbháilte gur cheart meas a bheith ag duine ar a shinsear.

UIRLISÍ TALMHAÍOCHTA

Fiú nuair a bhí a fhios ag na Sínigh cén chaoi le hairm iarainn agus chré-umha a dhéanamh lean a lán de na tuathánaigh orthu ag obair le huirlisí simplí adhmaid nó cloiche. Dhéanaidís an rómhar le maidí agus an gortghlanadh le grafáin ar a mbíodh bioranna cloiche, díreach mar a dhéanadh a sinsear rompu.

Le sceana agus le speala cloiche a bhainidís an t-arbhar.

CEANNASAITHE NUA

Faoi cheannas Ríshliocht Shang a bhí an talamh ba thorthúla sa tSín (thart ar an Huaing-hó) rud a d'fhág go raibh siad in ann arm mór a bheith acu le haghaidh concas. Leath a n-impireacht soir i dtreo na farraige agus ó dheas i dtreo na Chang Jiang (an Iaing-tsí), i.e. abhainn mhór eile na Síne. Níltear cinnte cé acu ar dhíbir siad na ciníocha eile nó ar ghlac siad leo mar chuid dá muintir féin.

Bhí deireadh le Ríshliocht Shang faoin mbliain 1122 R.Ch. Ba é an míniú a bhí ag staraithe na Síne air sin go gcéasadh rí deiridh Ríshliocht Shang, Di Xin, duine ar bith a chuireadh fearg air. Más fíor chuireadh sé iallach ar a leithéidí siúl ar chuaille gréisceach os cionn tine ghualaigh.

Nuair a chuir naimhde Di Xin lasair lena dhún léim sé féin isteach sa tine. Ba iad rílaochra Zhou as sléibhte an iarthair a chlóigh é agus ba iad sin ceannasaithe nua na Síne.

Ní chuireadh aighnis na ríthe isteach ar shaol laethúil na ngnáthdhaoine. Théidís sin ar aghaidh lena gcuid oibre, i.e. treabhadh, síolchur agus baint an fhómhair.

Is ón 13ú-14ú ceád AD an phéintéireacht thuas. Tá feirmeoirí ag uisciú garraí ríse ann. Tá duine acu ag ardú uisce le cuaille a bhfuil buicéad air agus an chuid eile ag oibriú scriúchaidéil choise. Meastar gur saothraíodh rís i ndeisceart na Síne den chéad uair roimh an mbliain 3000 R.Ch. Tá an fear thíos ag spealadóireacht.

11

Bhí an feodachas i réim sa tSín faoin am sin agus an rí uilechumhachtach. Thugadh an rí talamh do na huaisle ar choinníoll go dtacóidís leis agus go mbeidís dílis dó. Bhíodh smacht iomlán ag na huaisle ar a dtailte féin agus ar gach a mbíodh orthu, na tuathánaigh san áireamh.

Ba iad na scoláirí an t-aon dream amháin a mbíodh léamh agus scríobh acu: Mhúineadh cuid acu clann mhac na n-uaisle. Bhíodh cuid eile acu státseirbhísigh agus thaistealaíodh cuid eile acu ó bhaile go chéile.

AN FEODACHAS SA tSÍN

Thóg na huaisle go léir caisleáin agus bailte a raibh ballaí thart orthu chun a gcuid tailte a chosaint. Bhídís gléasta i síoda agus i bhfionnadh. Bhíodh ceoltóirí acu chun siamsa a chur ar fáil dóibh agus lucht léinn chun iad a theagasc. Chuiridís a gclann mhac ar scoil ach ní chuiridís a gclann iníonacha.

Theastaíodh ó na huaisle a bheith istigh leis an rí agus ba é an chaoi ab fhearr chun é sin a dhéanamh ná cathanna a bhaint, rud a dhéanaidís le harm tuathánach. Ní raibh sna tuathánaigh dáiríre ach sclábhaithe.

Bhíodh céimeanna éagsúla i measc na n-uaisle. Taobh thíos de na huaisle bhíodh na húinéirí beaga talún agus an lucht léinn agus faoina mbun sin arís na tuathánaigh agus na ceardaithe. Ag bun an dréimire bhí

Muilleoir ag meilt ríse le bró. Baintear crotal crua garbh na ríse nuair a dhéantar muilleoireacht uirthi.

na ceannaithe agus is beag cumhachta a bhí acu sin gur tháinig Impireacht Ríshliocht Song (ó 960 AD ar aghaidh).

DEIREADH LE CUMHACHT

Le himeacht ama chaill ríthe Zhou tacaíocht na n-uaisle. Sa bhliain 771 R.Ch. d'ionsaigh marcaigh fháin as an Mongóil Hao, príomhchathair rílaochra Zhou, agus theith an rí. Bhí ina chíor thuathail ar feadh tamaill gur chuir na huaisle ba láidre a gcuid stát féin ar bun. Bhog an rí Zhou go cathair eile, Luoyang, ach ní raibh ann faoin tráth sin ach rí amháin i measc iliomad ríthe.

NA STÁIT AG TROID

Ar feadh 500 bliain ina dhiaidh sin bhí na stáit ag troid eatarthu féin chun ceannnas na tíre a bhaint amach. Ach in ainneoin na troda d'éirigh an tSín níos saibhre, e.g. tháinig méadú ar an daonra agus ar an méid bia agus uirlisí nua a bhí déanta as iarann (atá níos crua ná cré-umha).

An t-athmháistir ag scrúdú an bhairr ríse. Le tréimhse na Mongólach a bhaineann an pictiúr seo ach is beag athrú a bhí tagtha ar an bhfeirmeoireacht le cúpla céad bliain roimhe sin.

SCILEANNA NUA

Chuir na feirmeoirí lanna iarainn ar a gcéachtaí agus ar na grafáin. Ba mhó an caitheamh a bhí san iarann agus ba ghéire agus b'éifeachtaí é. Bhí snáthaidí iarainn ag na mná faoin am sin ach bhí sceana iarainn fós gann. Sceana cré-umha nó cloiche a bhí fós ag na daoine bochta agus spúnóga agus cipíní itheacháin adhmaid nó cnáimhe a bhíodh acu chun béile a ithe.

SPEISIALTÓIRÍ

Timpeall an ama sin freisin a cuireadh eolas ar an gcaoi chun cairteacha agus muilleoireacht a dhéanamh. Bhí saoir rothaí ann agus dhéanadh potairí, oibrithe miotalóireachta agus seodóirí earraí sóchais le haghaidh na n-uaisle. Bia nó airgead a d'fhaighidís mar chúiteamh. I gcaitheamh na tréimhse sin freisin a rinneadh na chéad chanálacha. Théadh an lucht léinn ar fud na tíre ag lorg uaisle a thabharfadh fostaíocht dóibh. Tháinig méadú mór ar an státseirbhís mar gurbh í a bhí i mbun an geilleagar a riar.

Tháinig athrú mór amháin eile. Nuair a chloífí a dtiarna sa chogaíocht bhíodh ar na tuathánaigh cáin a íoc leis an mbuaiteoir as sin amach seachas bheith ag obair dó. Tosaíodh ar mhonaíocht chré-umha a úsáid.

Duine uasal ina charbad. Tá a chaisleán nó a dhún ar chúl an bhalla. Bhí call le ballaí agus le caisleáin i mbailte chun iad a chosaint mar go mbíodh go leor cathanna sa tSín aimsir an fheodachais – idir airm bheaga go hiondúil.

13

CÚRSAÍ COGAÍOCHTA

'An té a thabharfaidh abhaile leis ón gcath cloigeann cúigir beidh sé ina mháistir ar chúig theaghlach …'

Xunzi

Idir na huaisle amháin a bhíodh troid sa tSín fadó. Is minic a bhíodh comhrac aonair eatarthu i gcarbaid agus rialacha dochta ridireachta ag baint leis. Ach faoin mbliain 300 R.Ch. bhí airm mhóra dhea-fheistithe ag ionsaí a chéile go fíochmhar agus airm níos fearr acu, e.g. an crosbhogha. Chuir an míleatachas nua alltacht ar an bhfealsamh Xunzi.

Ní bhíodh cultacha catha ar thuathánaigh agus iad ag troid agus ní bhíodh acu ach sciatha adhmaid. Ní bhídís in ann ag coisithe gairmiúla ná ag marcshlua a mbeadh claimhte agus boghanna acu.

Samhlacha cré bruite d'arm Shih Huang-di a fuarthas i dtuama a bhaineann leis an mbliain 210 R.Ch.

NA STÁIT AG TROID

Rinne staraithe na Síne dhá thréimhse den chogaíocht: **Tréimhse an Earraigh agus an Fhómhair** (770-485 R.Ch.) agus **Tréimhse Chogaí na Stát** (485-221 R.Ch.). Bhí a lán stát beag ann i gcaitheamh na chéad tréimhse agus prionsaí i gceannas orthu. I gcaitheamh an dara tréimhse fuair na stáit ba chumhachtaí an lámh in uachtar ar na cinn eile sa chaoi is nach raibh ach seacht stát fágtha. Ba iad **Qin** agus **Chu** ba láidre díobh sin.

ÁR AGUS SLAD

Chloígh stáit Qin agus Chu a naimhde le hairm ollmhóra, e.g. bhíodh 100,000 saighdiúir i gcuid de na cathanna agus bhíodh bailte faoi léigear ar feadh míonna. Bhí deireadh le huaisleacht, le hurraim agus le ridireacht. Tar éis catha áirithe chuir ginearáil Qin 400,000 cime cogaidh *chun báis.*

Ach mhair traidisiúin áirithe. Lorgaíodh na ginearáil fios ar na horacail agus ghuídís chun a sinsear sula dtéidís chun catha.

TREIBHEANNA FÁIN

Fad is bhí na stáit ag troid eatarthu féin bhí siad faoi ionsaí aduaidh agus aniar ag treibheanna fáin as na steipeanna. Marcaigh ar chapaill lúfara agus gan mórán airm acu ba ea iad sin. Thóg na Sínigh ballaí teorann mar chosaint orthu agus ba é Balla Mór na Síne an toradh a bhí ar an obair sin ar ball.

CROSBHOGHANNA

I gcaitheamh an 4ú céad R.Ch. tháinig an crosbhogha – arm nua fadraoin – chun cinn sa tSín. Ba chumasaí é ná an bogha a d'úsáideadh saighdiúirí carbad. Bhíodh truicear cliste cré-umha air freisin. Scaoiltí saigheada as leis an namhaid ó taobh thiar de bhallaí, saigheada a réabfadh trí sciath adhmaid taobh istigh de raon 200 méadar. Is beag seans a bhíodh ag na ridirí ar muin capall go fiú, agus crosbhoghdóirí oilte ag scaoileadh fúthu.

Bhí an bogha comhchodach a bhíodh ag na saighdeoirí agus ag na haraí an-éifeachtach freisin. Is é an chaoi a ndéantaí é ná stiallacha adhmaid nó cnáimhe a shnaidhmeadh ina chéile. Bioranna cnáimhe, cré-umha nó iarainn a bhíodh ar na saigheada.

CULTACHA CATHA

Fuarthas bunús ár gcuid eolais i dtaobh arm na Síne fadó ó na samhlacha cré bruite lánmhéide de shaighdiúirí ar thángthas orthu i dtuama céad Impire Qin. Chaitheadh na saighdiúirí scaifeanna líneadaigh chun nach mbeadh an chulaith chatha ag síorchuimilt dá muineál. Leatháin mhiotail nó leathair a bhíodh sna cultacha catha agus iad ceangailte ina chéile.

AIRM EILE

Claimhte beaga giortacha a bhíodh ag na Sínigh ar dtús agus corda thart ar an dorn. Ach de réir mar a tháinig feabhas ar chúrsaí saoirsithe miotail bhíodh na claimhte breis is méadar ar fad. As cré-umha a dhéantaí a bhformhór roimh an 1ú céad AD ach ina dhiaidh sin as iarann agus as cruach a dhéantaí iad. Bhíodh claimhte acu freisin a mbíodh cumhdach cróimiam dosmálta orthu, rud nach raibh le fáil áit ar bith eile ar domhan an tráth sin. Fuair seandálaithe claíomh amháin a ghearrfadh ribe gruaige tar éis dó a bheith 2,000 bliain sa talamh.

D'úsáideadh na Sínigh an **ko** (halbard), i.e lann mar a bheadh tua ann ar chos adhmaid 2 mhéadar ar fad. I ngráscar lámh a d'úsáidtí é.

Ba iad na hairm sin a bhí in uachtar gur tháinig Ríshliocht Song (960 AD). Ansin ceapadh púdar gunna agus feasta bheadh buamaí agus roicéid ar láthair an chatha.

Samhail de mharcach a bhaineann le tréimhse Ríshliocht Tang (618-907 AD). Tá an marcach agus an capall faoi chulaith chatha. Bhíodh an-éileamh ag na Sínigh ar chapaill chogaidh, go háirithe ar chapaill ó Iarthar Domhain mar ba mhó agus ba thapúla iad ná capaillíní na Síne féin.

15

AN CHÉAD IMPIRE

Rinneadh Impire ar an tSín go léir den Prionsa Sheng, ceannaire Qin, sa bhliain 221 R.Ch. Ba é an chéad Impire ar an tír ar fad é agus chuir sé roimhe an tSín a rialú mar a rialaigh sé Qin. Um an dtaca sin ba é Qin an ríocht ba láidre sa tSín. Bhí rialtas láidir láir ann, córas maith uiscithe agus talmhaíochta, agus arm láidir. Is ón bhfocal 'Qin' an focal 'Sín.'

Oibrithe i mbun an Balla Mór a thógáil. Eilifintí a dhéanadh an obair ar bhain an-dua léi ach ba iad na daoine féin a bhogadh na clocha agus an chréafóg.

AONTÚ NA SÍNE

'Tíogar Qin' a thugtaí ar an bPrionsa Sheng agus bhí sé uaillmhianach fíochmhar. Nuair a bhí a naimhde cloíte aige thug sé ainm nua air féin – Shih Huang-di ('An Chéad Impire') – agus chuir sé roimhe an tSín a aontú. D'ordaigh sé go labhródh an pobal aon teanga amháin agus go mbeadh córas amháin meáchan agus tomhas agus monaíochta ann. Chuir sé leithead caighdeánach i bhfeidhm maidir le cairteacha capall mar go raibh bóithre nua tógtha aige. Chuir sé an fhreagracht ar na huaisle ar fud na Síne as riail agus reacht agus as orduithe an Impire a chur i bhfeidhm ina gceantar féin. Bhí ar na gnáthdhaoine a bheith ina saighdiúirí, agus na bóithre, na canálacha agus na hoibreacha cosanta a thógáil freisin.

BALLA MÓR NA SÍNE

Ba é Balla Mór na Síne an tionscadal ba mhó dá raibh ag an Impire. Ba é an aidhm a bhí leis an mBalla Mór ná treibheanna fáin na steipeanna a choinneáil amach agus Sínigh a bhí míshásta leis an gcóras polaitíochta a choinneáil istigh.

Is éard a bhí i gceist leis an mBalla Mór ná na ballaí cosanta a bhí tógtha ag an arm le cúpla céad bliain roimhe sin a nascadh le chéile. Cuireadh campaí soláthair ar bun chun bia agus ábhar tógála a sheoladh chomh fada leis na sléibhte agus na gaineamhlaigh ar theorainn thuaidh na Síne, áit a raibh sé le tógáil. Bhíodh buíonta den arm ann chun gadaithe a dhíbirt agus chun na hoibrithe a choinneáil ar an láthair.

Cruinníodh na mílte tuathánach ón obair thalmhaíochta agus cuireadh ag obair ar an mBalla iad. Fuair go leor acu bás le linn na tógála, rud a d'fhág nár cuireadh an síol, gur fágadh an fómhar gan baint agus go raibh ocras ar an bpobal. Bhí faitíos ar an bpobal roimh Shih Huang-di ach ní raibh cion acu air.

TUAMA AN IMPIRE

Chaith 700,000 duine 40 bliain ag obair ar thuama an Impire. Ceardaithe i monarchana a rinne na samhlacha cré bruite lánmhéide de shaighdiúirí agus de chapaill a chuirfí san uaigh chun corp an Impire a chosaint nuair a gheobhadh sé bás.

Rinne Shih Huang-di príomhchathair de Xianyang agus choinnigh sé na huaisle sa chúirt aige chun súil a choinneáil orthu. Is é féin a leagadh an cháin ar a gcuid tuathánach agus sheoladh sé státseirbhísigh ar fud na Síne chun a dhlíthe a chur i bhfeidhm.

ATHRÚ MÓR

D'ordaigh an tImpire go ndófaí leabhair litríochta, staire agus díospóireachta. Níor dhóigh sé leabhair 'fhóinteacha,' e.g. leabhair leighis agus thalmhaíochta. Maidir leis na scoláirí a thacaigh leis an sean-nós léinn, díbríodh nó daoradh chun báis iad.

Fuair an tImpire bás in aois a 50 dó agus ní raibh a shliocht i gceannas ar feadh i bhfad ina dhiaidh. D'éirigh le saighdiúir, Liu Bang, ar den íseal-aicme é Impire a dhéanamh de féin faoin mbliain 202 R.Ch. Han Gaozu an t-ainm nua a thug seisean air féin. I gcaitheamh thréimhse Ríshliocht Han tháinig an tSín chuici féin ón drochshaol a bhí ann le linn Shih Huang- di.

Meascán d'iliomad creideamh a bhí sa tSín fadó. Bhí an tImpire ina dhia acu agus d'adhair siad freisin a sinsir féin agus sprideanna an tí agus na tuaithe. Bhí formhór na ndaoine sásta glacadh leis an mBúdachas ón India agus é a mheascadh lena gcreideamh seanda féin. Theagasc fealsúna Síneacha fearacht Confúicias an bealach ceart maireachtála agus rialaithe.

Rinneadh an phéintéireacht seo ar adhmad sa Turcastáin Shíneach idir an 6ú-7ú céad AD. Is é Roustein, Dia an tSíoda, atá ann.

CONFÚICIAS

Confúicias a thugtar san Iarthar ar an saoi Kong Qiu. Níor glacadh leis mar chomhairleoir cúirte mar a theastaigh uaidh ach scríobhadh síos a chuid teagaisc agus glacadh leis níos déanaí mar bhonn le rialacha rialtais agus le dea-iompar. Bhí clú ar a chuid nathanna i measc na Síneach, e.g. 'Mura mairimid i dteannta ár gcomhdhaoine, cé leo a mairfimid?' (Ar scáth a chéile a mhaireann na daoine). Sa bhliain 124 R.Ch. cuireadh an Ollscoil Impiriúil ar bun chun an Confúiceachas a mhúineadh do mhic léinn a raibh fúthu a bheith ina státseirbhísigh.

AN TAOCHAS

Ní raibh déithe ar bith sa Chonfúiceachas. Le dlíthe a chum daoine a phléigh an Confúiceachas agus is é an cheist a chuir sé ná an raibh daoine maith nó olc ó dhúchas. Dar le lucht leanúna Lao-tzu, dlíthe uilíocha seachas dlíthe a chum daoine a bhí taobh thiar d'iompar daoine. Ba é an tuairim sin an bun a bhí leis an Taochas.

Pictiúr de chuid an 18ú céad de Chonfúicias agus a lucht leanúna. Dar leis siúd, ba cheart ord a bheith ar an saol agus meas ag daoine ar an traidisiún. Ba cheart do na ceannairí déanamh de réir na bprionsabal ceart a bhí leagtha amach le sinsearacht. Dá ndéanfaí dá réir sin bheadh dul chun cinn i ndán don chine daonna.

'Ó dhaoine eile a fhaightear an t-eolas. Istigh ionat féin atá an eagna agus an fios.'

— Lao-tzu —

I gcaitheamh Thréimhse Chogaí na Stát théadh fealsúna agus saoithe thart ar fud na Síne ag lorg oibre ó na huaisle. Ba iad na saoithe ba mhó clú ná: Confúicias (tuairim 551-479 R.Ch.); a lucht leanúna Meincias (372-289 R.Ch.), Xunzi (315-236 R.Ch.); agus Lao-tzu (tuairim 500 R.Ch.). Is ag plé an chaoi leis an bpobal a rialú go cóir a bhídís siúd seachas ag caint faoi na déithe nó faoin saol eile.

'An Bealach' an chiall atá leis an bhfocal **Tao**. Saol simplí lán de mhachnamh a bhíodh ag an Taoch agus é i dtiúin leis an dúlra. Bhí baint ag an Taochas le misteachas agus le creideamh cianaosta thuathánaigh na Síne. Bhaineadh a lucht leanúna leas as draíocht, guí agus réim bhia speisialta chun an óige shíoraí a thóraíocht.

AN *YIN* AGUS AN *YANG*

Chreid na Sínigh go raibh cothromaíocht sa dúlra agus go raibh dhá fhórsa i ngach rud: an **yin** agus an **yang**. Bhí an **yang** láidir, gníomhach, geal agus fireann. Bhí an **yin** lag, éighníomhach, dorcha agus baineann. Dhá fhórsa chontrártha a bhí iontu a bhí ag brath ar a chéile. Léiríodh é sin le siombail: ciorcal ina raibh dhá leath fite ina chéile, ceann acu dubh agus an ceann eile bán.

AN BÚDACHAS

Tugadh an Búdachas isteach sa tSín ón India san 1ú ceád AD nuair a chuir an tImpire fios ar scríbhinní an Bhúdachais. Chuir na scoláirí spéis sna scríbhinní. Ach tháinig an Búdachas ó oirdheisceart na hÁise freisin de thoradh na trádála.

Bhí na tuairimí céanna cuid mhaith sa Bhúdachas is a bhí sa Taochas: go bhféadfadh daoine an bheatha shíoraí a bhaint amach trí fhéinsmacht agus trí mhachnamh. Bhíodh comhairleoirí Búdacha ag na hImpirí ar mhaithe lena gcomhairle pholaitíochta agus le bua na draíochta a bhí acu!

19

Dar leis na Sínigh ba iad féin pobal an áidh murab ionann agus na dreamanna barbartha ar na steipeanna. Ach ghlacaidís le daoine a leanfadh a gcuid nósanna ba chuma cárbh as iad. Ba é an tuairim a bhí mar bhun le saol na Síneach ná gach ní a bheith i dtiúin le chéile agus an chothromaíocht sa duine agus sa dúlra.

Mórshiúl an phósta. Nuair a bhíodh bean ar tí pósadh thugadh sí bronntanas nó spré dá fear céile agus dá theaghlach. Ní bhíodh cead ag lánúin ar aon sloinne pósadh ar fhaitíos go mbeadh comhshinsear acu. Ní bhíodh sé dleathach ag fear ach aon bhean amháin a bheith aige ach, ar ndóigh, bhíodh mná luí freisin ag cuid de na huaisle agus ag an Impire. Bhíodh na mná luí ar chéim níos ísle ná an bhean chéile.

I dTIÚIN LEIS AN DÚLRA
Chuaigh an tuairim gur cheart bheith i dtiúin leis an dúlra i bhfeidhm ar shaol laethúil na Síneach, e.g. an cineál bia a d'ithidís, an uair a ndéanaidís rudaí agus an dearadh a bhí ar a gcuid áras. Chreid na Sínigh freisin go raibh sprideanna nádúrtha i ngach aon áit – cuid acu sna sléibhte, cuid acu sna haibhneacha, cuid acu sa bháisteach agus sa ghaoth agus cinn eile sa teach nó thart ar an teach, e.g. sa sorn, sa tobar, i ngarraí na nglasraí. Theastaigh ó na daoine a bheith istigh leis na sprideanna sin.

Chreid siad go dtagadh anamacha na marbh ar ais díreach mar a athraíonn an seiriceán i gcaitheamh a shaolré. Dá bhrí sin ghlac go leor daoine le buntuairim an Bhúdachais – an athbhreith.

AN TEAGHLACH
Ba é an teaghlach an bonn a bhí le pobal na Síne. Bhí litir de chuid na haibítre sa tSean-Sínis arb é an chiall a bhí léi 'an Mhaith' agus ba éard a bhí inti ná bean agus a clann ina teannta. Thacaíodh teaghlaigh ghaolmhara le chéile agus dhéanaidís cumainn rúnda go fiú. Bhíodh féasta agus deasghnátha ann lá sochraide nó bainise.

Léiríonn an pictiúr Síneach seo ón 12ú céad AD lucht leanúna an Bhúdachais ag tabhairt déirce do na bochtáin.

FÉILTE

Ar an ngealach a bhí féilire na Síne bunaithe agus roinntí na blianta ina n-aicmí agus 12 bhliain i ngach aicme. As ainmhí a d'ainmnítí gach aicme. Tosaíonn Athbhliain na Síne i gcaitheamh na chéad gealaí nua idir 21 Eanáir agus 19 Feabhra. Is féile earraigh í agus is tráth í le sult a bhaint as an saol, le haghaidh déanamh feasa agus le tús nua a chur le cúrsaí. Dhéantaí íobairtí chuig na sprideanna: d'ofráiltí cácaí milse do dhia na sornóige chun nach n-inseodh sé faoi na míghníomhartha a bhí feicthe aige i gcaitheamh na seanbhliana! D'insítí scéalta faoi dhragain do na gasúir. Ní arrachtaí a bhíodh sna dragain i scéalta na Síne ach neacha iontacha a thugadh an t-ádh agus an saibhreas leo chuig na daoine a thaitníodh leo.

AN PÓSADH

Cleamhnas a dhéantaí idir lánúineacha de ghnáth. Nuair a phósadh cailín théadh sí chun cónaithe le teaghlach a fir chéile agus ba uirthi ba lú a bhíodh meas ina measc. Ní fhágtaí maoin a tuismitheoirí ag cailín mar a dhéantaí i gcás mic. Bhíodh gliondar ar dhaoine nuair a shaolófaí mac dóibh agus chreididís go mbeidís ina ndéithe ar an saol eile dá bharr sin.

AN BÁS AGUS SOCHRAIDÍ

Éadaí bána a chaitheadh daoine ar shochraidí mar chomhartha bróin. Dhéanadh gasúir troscadh agus chaithidís éadaí ramhra chun a meas a léiriú ar a dtuismitheoirí a bheadh marbh. Thugtaí bia chuig uaigheanna na marbh san earrach agus san fhómhar.

I gcaitheamh na sochraide chuirtí mionsamhlacha adhmaid nó cré sna tuamaí, e.g. tithe agus báid. Leagtaí bia agus deoch le hais na marbh le haghaidh an tsaoil eile. Nithe mar iad seo a chuirtí i dtuamaí na n-uaisle: róbaí síoda, babhlaí agus boscaí péinteáilte, mionsamhlacha adhmaid dá searbhóntaí, cosmaidí agus foilt bhréige chun cuma óigeanta a chur orthu.

Ba thábhachtach leis na Sínigh an corp a chaomhnú. Fuarthas coirp prionsa agus a mhná agus cultacha séada orthu i dtuama a bhain leis an mbliain 113 R.Ch. Bhí na cultacha déanta as 2,000 píosa séada agus iad fuaite le chéile le sreang iarainn ar a raibh cumhdach óir agus síoda. Creideadh go raibh draíocht éigin ag baint leis an séad ach ní raibh laistigh de na cultacha seo ach deannach!

21

Dar leis na Sínigh d'fhéadfaí taitneamh a bhaint as an ealaín go príobháideach nó mar chuid de dheasghnáth poiblí. Ba bhreá leo an fhilíocht, pictiúir, scéalta béaloidis, ceol agus damhsa. Chaití dua le cuma mhaith a chur ar earraí cré, miotail agus séada agus sháraigh earraí cré-umha ré Ríshliocht Shang agus vásaí ré Ríshliocht Ming a leithéidí céanna áit ar bith eile ar domhan.

AN PHÉINTÉIREACHT

Ón 4ú céad R.Ch. amach phéinteáladh ealaíontóirí na Síne pictiúir áille ar shíoda. Níos déanaí dhéanaidís an phéinteáil ar pháipéar, earra arbh iad na Sínigh ba thúisce a rinne. Bhí ráchairt ar phictiúir de thírdhreacha ón 9ú céad AD i leith. Léiríodh pictiúir shuaimhneacha de shléibhte, d'aibhneacha agus d'easanna na daoine agus iad i dtiúin leis an dúlra. Ar ndóigh ba léiriú a bhí sna pictiúir ar thuairimí na bhfealsúna agus na bhfilí. Dhéanadh na healaíontóirí pictiúir freisin d'ainmhithe, d'éisc, d'fheithidí, d'éin, agus portráidí de dhaoine.

Bhí ealaíontóirí na Síne ar fheabhas freisin chun na peannaireachta – scríbhneoireacht fhíneálta ina mbaintí leas as cleiteán géar agus as dúch. Bhí an ealaín sin ar comhthábhacht leis an bpéintéireacht.

Leathanach as an Sútra (nó an scrolla) Diamantach arb é an leabhar clóbhuailte is sine ar domhan é go bhfios dúinn. Sa bhliain 868 AD sa tSín a clóbhuaileadh é. Le greanadh adhmaid a clóbhuaileadh na leathanaigh agus cuireadh seacht leathanach i gceann a chéile agus rinneadh scrolla díobh. Teagasc an Bhúdachais atá sa leabhar.

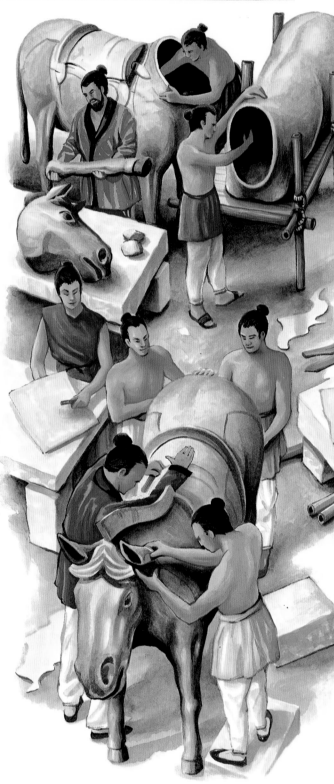

Cuireadh na céadta samhlacha cré bruite de shaighdiúirí agus de chapaill i dteannta an Chéad Impire. Rinne na hoibrithe iad as míreanna réamhdhéanta.

AN PHOTAIREACHT

Dhéanadh potairí na Síne potaí cré ar rothaí potaireachta chomh fada siar le 2000 bliain R.Ch. Níos déanaí i gcaitheamh ré Ríshliocht Tang dhéanaidís poirceallán – an chéad dream ar domhan a rinne. Bhíodh an-dúil ag eachtrannaigh i bpotaireacht agus i síoda na Síne. Tháinig méadú ar an trádáil maidir leis na hearraí sin nuair a thosaigh longa de chuid na hEorpa ag gabháil chun na Síne sa 16ú céad AD. Bhí stíleanna na Síne faiseanta san Eoraip maidir le gairdíní, le potaireacht agus le feisteas tí agus dhéanadh dearthóirí an Iarthair aithris orthu.

DEALBHÓIREACHT AGUS SEODRA

I gcaitheamh ré Ríshliocht Han chuirtí dealbha móra cloiche taobh amuigh de thuamaí áirithe. Nuair a tugadh an Búdachas isteach sa tSín dhéantaí dealbha ollmhóra de Bhúda – cuid acu breis is 10 méadar ar airde. Bhídís fíneálta críochnúil dá mhéad iad. I gcaitheamh ré Ríshliocht Song rinne na dealbhóirí fíoracha áille adhmaid. I gcaitheamh ré Ríshliocht Ming bhíodh dealbha móra cloiche d'ainmhithe ar garda taobh amuigh de thuamaí na nImpirí.

Bhíodh ealaíontóirí ag obair ar shnoíodóireacht chasta séada agus ar earraí a rinneadh as ór agus as airgead. Ba mhinic a dhéanaidís aithris ar sheanstíleanna sa chaoi go mbeadh an chuma chéanna ar earra áirithe a rinneadh sa 12ú céad is a bheadh air míle bliain roimhe sin. Chuir oibrithe ré Ríshliocht Song bailchríoch ar shíoda a dhéanamh ar sheolta fíodóireachta. Is amhlaidh a dhéanaidís cóip de phictiúr ar thaipéis síoda.

LITRÍOCHT AGUS DRÁMAÍOCHT

Thart ar an mbliain 1480 R.Ch. a cumadh an litríocht is sine sa tSín a tháinig anuas chugainn, i.e. dánta agus amhráin. Thugtaí Cúig Mhórshaothar an Chonfúiceachais mar shampla den dea-scríbhneoireacht. Is ón mbliain 600 R.Ch. iad agus is amhráin, scéalta agus smaointe diaga atá iontu. Mhair na filí ba mhó i gcaitheamh ré Ríshliocht Tang (618-907 AD), e.g. Wang Wei, Li Po agus Tu Fu. Faoin ngrá, faoin sásamh atá le baint as deoch mheisciúil agus faoin mbaois a bhaineann leis an gcogaíocht a scríobh na filí. Ba iad na Sínigh a chuir leabhair i gcló i dtosach – ón 9ú céad AD i leith.

Tháinig an drámaíocht chun cinn ón 13ú céad AD i leith. Bhíodh ceol agus damhsa i ndrámaíocht na Síne ar nós ceoldrámaí. Léití úrscéalta freisin, e.g. *An Turas go dtí an tIarthar* (nó *an Moncaí*) le Wu Cheng-en.

Leabhar barrúil graosta é a scríobhadh sa 16ú céad AD agus a dhéanann magadh faoi na Taoigh.

AN CEOL

Scála cúig thon atá i gceol na Síne ní hionann agus scála ocht dton na hEorpa. Mar sin ní hionann an glór a dhéanann ceoltóirí na Síne. Sa chúirt ríoga agus ar shráideanna na gcathracha a sheinntí an ceol. Ar na gléasanna ceoil ba choitianta bhí drumaí, ganganna agus píobaí.

Phéinteáladh na healaíontóirí daoine agus iad i mbun oibre. Léiríonn an pictiúr seo ar shíoda ón 15ú/16ú céad fear i mbun iascaigh le cailleacha dubha (broighill). Déanann na Sínigh iascach leo fós. Is amhlaidh a thumann na héin seo agus maraíonn siad an t-iasc faoi uisce.

Samhlacha potaireachta de bheirt bhanphrionsa ó thréimhse Ríshliocht Tang (7ú-10ú céad AD). Tá siad gléasta go faiseanta, i.e. cóiriú gruaige gairéadach, muinchillí móra agus gob aníos mar a bheadh loiteog ar a mbróga.

Bróidnéireacht síoda ar Róba Gorm an Dragain, i.e. éide oifigiúil an Teaghlaigh Ríoga agus a gcuid státseirbhíseach. Sa 19ú céad AD a fíodh é. Comhartha an áidh iad na hialtóga. Fíodh litreacha éagsúla Sínise air, e.g. comharthaí an áidh agus na lúcháire.

TITHE NA nUAISLE

B a mhór ag an duine uasal Síneach a
theach mar gur léiriú é ar a chuid
saibhris agus ar a chéim i measc an
phobail. Tá an pictiúr thíos bunaithe ar
mhionsamhlacha cré de thithe a cuireadh
i dtuamaí a bhain le ré Rishliocht Han i
dtreo go mbeadh an marbh ar a
shuaimhneas ar an saol eile.

SAIBHIR AGUS DAIBHIR

Bhíodh teach duine uasail níos mó ná
teach aon stóir feirmeora. Ba theach
áirgiúil é agus cúpla stór ann agus
staighre eatarthu. Bhíodh balla thart ar
an teach agus clós taobh istigh de.
Bhíodh geata idir teach cathrach agus an
tsráid ach bhíodh bealach díreach isteach
ó na garraithe go dtí an teach tuaithe.
Gairdín agus toir ann a bhíodh taobh
istigh de bhallaí an tí tuaithe agus
b'fhéidir linn éisc. Teach ceann tíleanna
a bhíodh ag an duine uasal agus teach
ceann tuí ag an dream bocht.

CREATLACH ADHMAID

As adhmad a dhéantaí formhór na dtithe
sa tSín agus ba í an chreatlach adhmaid a
choinníodh an díon in airde. As brící nó
as caolach bambú a dhéantaí na ballaí
amuigh agus plástar cré orthu. Phlástráiltí
na ballaí istigh agus ba mhinic a
phéinteáiltí freisin iad.

B'fhearr leis na Sínigh teach adhmaid
ná teach cloiche mar dar leo, go raibh an
chloch mínádúrtha. Rud eile de, i gcás go
mbeadh crith talún ann ní dhéanfadh
teach adhmaid mórán dochair do
mhuintir an tí. Dá bhrí sin is beag fíor-
sheanteach atá sa tSín. Is amhlaidh a
leagtaí formhór na seantithe agus na
seanphálás agus thógtaí cinn nua ina n-áit.

Gobann sceimheal an tí thíos amach
agus tá an cineál sin sceimhle coitianta sa
tSín. Ní theagmhaíodh an bháisteach leis
na ballaí dá mbarr agus ba scáth iad
freisin agus é meirbh. Chastaí suas
tacaí dín na dtithe go minic, mar
atá léirithe, agus mhaisítí iad.

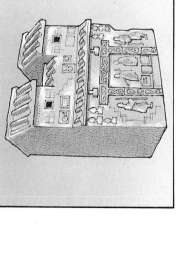

Chuirtí samhlacha potaireachta de thithe ar nós an chinn
thuas i dtuama an mharbháin mar léiriú ar a chéimíocht
agus chun go mbainfeadh sé úsáid as ar an saol eile.
Léiríonn na radhairc thrédhearcacha mhóra agus bheaga
thíos an tógáil a bhíodh ar theach aimsir Rishliocht Han
agus an chuma a bhíodh air taobh istigh.

1 Creatlach adhmaid an tí
2 An balla amuigh a dhéantaí as brící nó as
   cré thriomaithe
3 Gob amach ar an sceimheal
4 Gnáthmhaisiú ar an díon
5 Ceann tíleanna – comhartha saibhris
6 An díon is uachtaraí – túr faire agus áit le
   haghaidh staidéir
7 Seomraí uachtaracha le haghaidh
   cuairteoirí
8 Daoine ag imirt cluiche ar chlár imeartha
9 Bean uasal agus cailín aimsire
10 Bia á riar
11 An bealach isteach agus é faoi thíleanna

ÍSEAL AGUS UASAL

Chónaíodh na searbhóntaí ar an urlár íochtarach áit a mbíodh an chistin. (Ba mhinic a bhruitheadh na daoine bochta a gcuid bia amuigh faoin spéir). Sna seomraí uachtaracha is ea a chasadh an duine uasal ar a chairde, a dhéanadh sé a dhinnéar agus a dhéanadh sé cúram dá chúrsaí gnó. B'fhéidir freisin go mbreathnaíodh mná agus gasúir amach ar an tsráid iontu. Is é an

obair a dhéanadh na mná ná fuáil, fíodóireacht agus bia agus fíon a riar ar na cuairteoirí. Nuair a théidís amach ba i gcarráiste capall nó ar tholg a d'iompraíodh searbhóntaí a théidís.

Bhí cáil ar uaisle Ríshliocht Han mar ghaiscígh. Meabhraíonn leagan amach an tí dúinn go mbíodh an teach ina dhún chomh maith le bheith ina áras cónaithe nuair a bhíodh cogaíocht ar bun.

Bhíodh an gnáth-theach Síneach déanta as cuaillí adhmaid nó bambú a choinníodh an díon, a mbíodh fána ghéar leis, in airde. Ní bhíodh meáchan an tí ar na taobh-bhallaí. Dhéantaí iad sin as ábhar éadrom agus bhídís plástaráilte go minic.

CATHRACHA NA SÍNE

Ba mhó iad cathracha na Síne ná cathracha ar bith eile ar domhan. I gcaitheamh na Meánaoise san Eoraip d'éirigh cathracha áirithe chomh cumhachtach sin go raibh a gceannairí in iomaíocht leis na ríthe. Ach sa tSín ba chomhartha ar chumhacht an Impire iad na cathracha. Ba nós leis na tuathánaigh a bheith ag gearán ach ba bheag ar fad de mhuintir na gcathracha a d'éiríodh amach in aghaidh an Impire.

CEANNAIRE NUA, CATHAIR NUA

Nuair a thagadh ríshliocht nua i gcumhacht is iondúil go dtógadh na ceannairí príomhchathair nua. Mar shampla chónaigh an chéad Impire de chuid Ríshliocht Han in Chang'an i dtuaisceart na Síne seachas in Xianyang, an phríomhchathair roimhe sin.

Ar nós chathracha eile na Síne bhí ballaí cosanta thart ar Chang'an. Bhí siad breis is 20 km ar fad, 18 méadar ar airde scaití agus 15 méadar ar leithead. Ní haon ionadh go n-airíodh na daoine sábháilte.

CHANG'AN

Chónaíodh an tImpire agus an chúirt i lár agus i ndeisceart Chang'an; ceardaithe agus searbhóntaí an Impire in iarthuaisceart na cathrach; san oirthuaisceart a chónaíodh gach duine eile seachas na ceannaithe; taobh amuigh de bhallaí na cathrach a chónaíodh na ceannaithe.

Scriosadh Chang'an sa bhliain 25 AD. Rinneadh príomhchathair arís de sa 6ú céad AD ach, ar ndóigh, b'éigean cuid mhaith atógála a dhéanamh air. Rinneadh bóthar a bhí 145 méadar ar leithead tríd an gcathair, rud a rinne dhá chuid di, i.e. bhí margadh agus póilíní dá gcuid féin ag an dá thaobh. Bhí sráideanna leathana a mbíodh crainn ar a dtaobh idir na ceapa tithe. Bhí páirceanna poiblí agus réileáin fhairsinge ann freisin.

Ba é Chang'an an chathair ba mhó ar domhan. Ba mhó í ná an Róimh go fiú. Bhíodh cónaí ar mhilliún duine inti agus ba chasta an obair í a rialú. Mar shampla, bhíodh ar státseirbhísigh na cathrach meáchain agus meánna 400 ocastóir a

Bhíodh stallaí ag na hocastóirí i gcathracha uile na Síne. Léiríonn an seanphrionta thuas le healaíontóir Eorpach daoine ag caitheamh béile i mbialann cois sráide in Macao.

Cuid de líníocht dúigh ar shíoda ar a dtugtar 'Gabháil suas feadh na hAbhann i gcaitheamh Fhéile an Earraigh'. Rinneadh í tuairim na bliana 1100 AD aimsir Ríshliocht Song agus léirítear inti beocht chathair Kaifeng (is dócha!). Tá camaill agus capaill sa phictiúr agus searbhóntaí ag iompar duine i gcathaoir iompair. Tá siopadóirí agus ceannaithe i mbun gnó ag stallaí le hais na bhfoirgneamh ard.

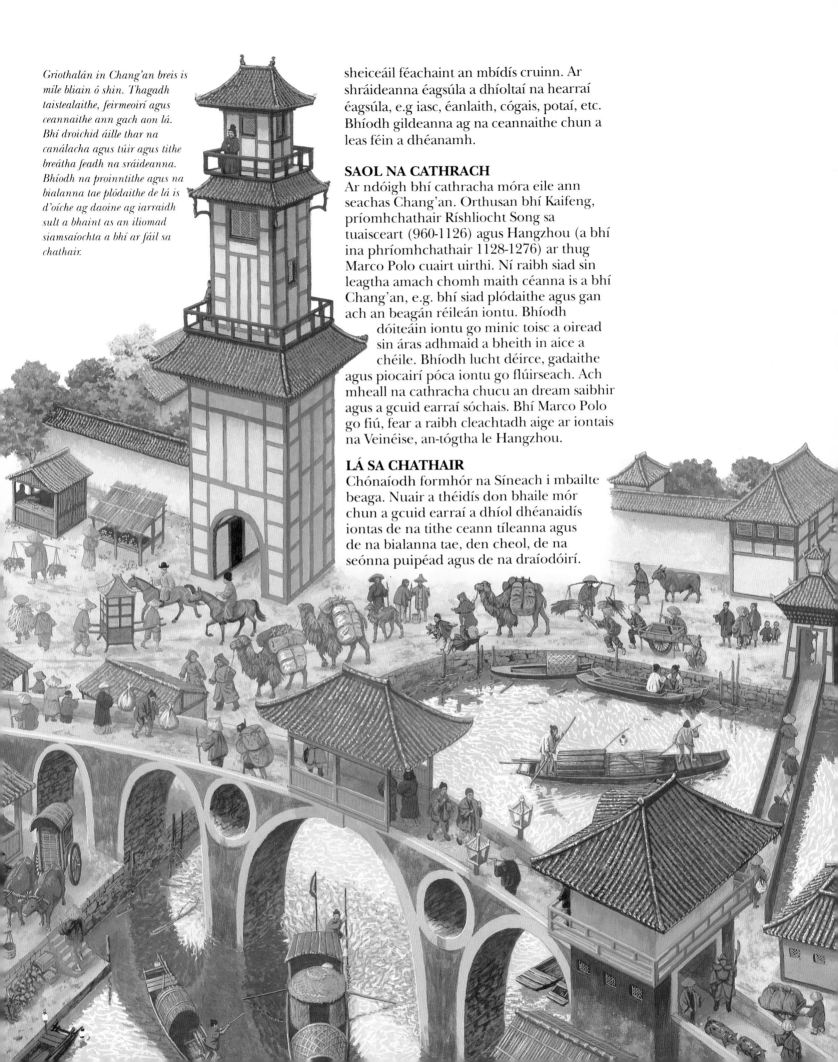

Griothalán in Chang'an breis is míle bliain ó shin. Thagadh taistealaithe, feirmeoirí agus ceannaithe ann gach aon lá. Bhí droichid áille thar na canálacha agus túir agus tithe breátha feadh na sráideanna. Bhíodh na proinntithe agus na bialanna tae plódaithe de lá is d'oíche ag daoine ag iarraidh sult a bhaint as an iliomad siamsaíochta a bhí ar fáil sa chathair.

sheiceáil féachaint an mbídís cruinn. Ar shráideanna éagsúla a dhíoltaí na hearraí éagsúla, e.g iasc, éanlaith, cógais, potaí, etc. Bhíodh gildeanna ag na ceannaithe chun a leas féin a dhéanamh.

SAOL NA CATHRACH

Ar ndóigh bhí cathracha móra eile ann seachas Chang'an. Orthusan bhí Kaifeng, príomhchathair Ríshliocht Song sa tuaisceart (960-1126) agus Hangzhou (a bhí ina phríomhchathair 1128-1276) ar thug Marco Polo cuairt uirthi. Ní raibh siad sin leagtha amach chomh maith céanna is a bhí Chang'an, e.g. bhí siad plódaithe agus gan ach an beagán réileán iontu. Bhíodh dóiteáin iontu go minic toisc a oiread sin áras adhmaid a bheith in aice a chéile. Bhíodh lucht déirce, gadaithe agus piocairí póca iontu go flúirseach. Ach mheall na cathracha chucu an dream saibhir agus a gcuid earraí sóchais. Bhí Marco Polo go fiú, fear a raibh cleachtadh aige ar iontais na Veinéise, an-tógtha le Hangzhou.

LÁ SA CHATHAIR

Chónaíodh formhór na Síneach i mbailte beaga. Nuair a théidís don bhaile mór chun a gcuid earraí a dhíol dhéanaidís iontas de na tithe ceann tíleanna agus de na bialanna tae, den cheol, de na seónna puipéad agus de na draíodóirí.

Chaitheadh na tuathánaigh a gcuid ama ag saothrú na mbarr, ag réiteach bia, agus ag déanamh obair chrua – rómhar agus iompar ualaí mar shampla. Ba bheag am saor a bhíodh acu ná ní bhíodh airgead acu le caitheamh ar éadaí galánta. Bhíodh saol sóúil ag an dream saibhir ina dtithe agus a ngairdíní. Níorbh ionann an caitheamh aimsire a bhíodh acu is a bhíodh ag an dream bocht.

AN BIA
Mheas na Sínigh gur cheart an cineál bia a d'íosfaidís a bheith in oiriúint don chaoi a n-aireoidís. D'athraítí an réim bhia agus an chaoi a mbruití an bia de réir shláinte an teaghlaigh nó go fiú dá n-athraíodh an aimsir.

Bia simplí a bhíodh ag an dream bocht, e.g. rís, muiléad nó cruithneacht, glasraí agus pónairí. Is annamh a bhíodh feoil acu ach corruair bhíodh cearc thanaí, feoil chapaill nó éan fiáin acu. Mharaídís iasc corruair i locháin, in aibhneacha nó i gcanálacha.

BIA AN DREAMA SHAIBHIR
Bhíodh réimse maith bia ag an dream saibhir, e.g. muiceoil, uaineoil, fiafheoil, feoil lachan, feoil ghé, feoil cholúir. D'ithidís nathracha, madraí, seilidí agus gealbhain freisin. Chuirtí spíosraí mar shinséar agus chainéal leis an mbia, agus chuirtí salann, siúcra, mil agus anlann soighe leis freisin le blas a chur air. Ba bhreá leo rollóga meala, arán galaithe (bhí an galú an-choitianta) agus núdail. Ar ndóigh bhíodh glasraí agus torthaí le hithe acu freisin. Níorbh ionann an bhruith a thugtaí ar bhia ó chúige go chéile agus féach gur iomaí cineál proinntithe Síneacha atá le fáil ar fud an domhain sa lá atá inniu ann féin.

Ní óltaí an t-uisce gan é a bheiriú ar dtús agus go hiondúil dhéantaí tae leis. Bhíodh an-éileamh ar fhíon ríse.

Ar na nithe a cheannaíodh muintir an bhaile ó lucht na stallaí bhí:- tae, cácaí, arán, agus ruipleog fhriochta le haghaidh bricfeasta, i.e. ábhar boilg nó goile an daimh.

Cuid de phictiúr ón 12ú céad AD ina léirítear scoláirí ag caitheamh béile i ngairdín. Tá a gcuid searbhóntaí ag déanamh tae.

TEAS AGUS FUACHT

I gcaitheamh an gheimhridh chaití éadaí troma agus líonadh iontu go háirithe i dtuaisceart na Síne áit a mbíonn an geimhreadh an-fhuar. Gualach nó gual a dhóití sa tine. Sheoltaí aer te ón sornóg trí bhrící folmha chun na suíocháin agus na leapacha a théamh. San aimsir mheirbh i gcaitheamh an tsamhraidh bhaintí an páipéar céarach de na fuinneoga chun aeráil a dhéanamh ar na seomraí. Ligeadh mná saibhre gaoth chucu féin le feananna galánta páipéir. Chaití béilí amuigh faoin spéir go minic i gcaitheamh an tsamhraidh.

MAR A GHLANAIDÍS IAD FÉIN

Bhí na Sínigh tugtha don fholcadh agus nídís iad féin le gallúnach luibheanna. Ní bhíodh seomraí folctha dá gcuid féin ach amháin ag an dream saibhir. D'íocadh muintir an bhaile mhóir táille bheag chun dul isteach sna tithe folctha poiblí. Bhíodh bréanlach dá gcuid féin ag an dream saibhir ach ní bhíodh ag an dream bocht ach draenacha agus cairn aoiligh phoiblí. Mar sin féin, dar le cuairteoirí chun na Síne bhí na cathracha an-ghlan. Dhíoltaí uisce níocháin te ar an tsráid. Bailítí an cacamas istoíche agus thugtaí scaitheamh amach ó bhallaí na cathrach é. Bhaineadh na Sínigh úsáid as páipéar leithris, rud a chuir iontas ar chuairteoirí chun na Síne.

CLUICHÍ CÁRTAÍ AGUS PEATAÍ

Nuair a bhíodh obair an lae thart bhíodh na gnáthdhaoine ag seanchas agus ag cearrbhachas. D'imrídís cluichí cártaí agus ficheall, cluiche a fuair siad ó na hIndiaigh. Maidir leis an gcluiche **mah-jongg** tíleanna beaga a bhíonn ag na himreoirí agus pictiúir nó siombailí orthu in áit cártaí.

Bhíodh na huaisle ag fiach agus ag rásaíocht ar muin capall. Chóiríodh na mná uaisle bláthanna nó dhéanaidís cúram de mhionchrainn (bonsaí). Bhíodh an-éileamh ag na mná ar mheasáin, e.g. an Péicíneach. Choinníodh an dream bocht éan ceoil nó criogar in éanadán.

Ar nós tíortha eile, comhartha saibhris nó bochtaineachta sa tSín ba ea an cineál éadaigh a chaitheadh duine. Chaitheadh an tImpire agus na huaisle (ar clé) róbaí galánta síoda agus cadáis. Chaithidís fionnadh sa gheimhreadh. Bhíodh éadaí na gceannaithe feiliúnach le haghaidh an taistil agus ba mhaorga an t-éadach a bhíodh ar an scoláire (sa lár). Chaitheadh na tuathánaigh éadach garbh gan dath a choinníodh amach an fuacht sa gheimhreadh.

Ar feadh scaithimh i gcaitheamh an 15ú céad ba mhuirchumhacht mhór í an tSín. Sheoladh longa na Síne chomh fada le hoirthear na hAfraice. Ach ba é Bóthar an tSíoda an trádbhealach ba mhó idir an tSín agus an Eoraip. Bhíodh scéala agus tuairimí nua leis na ceannaithe chomh maith le hearraí.

Compás loingseoireachta. Ba iad mairnéalaigh na Síne a d'úsáid an compás maighnéadach ar dtús chun a mbealach a dhéanamh ar an bhfarraige mhór.

GABHÁIL SIAR

Ba é ba thábhachtaí leis na Sínigh ná a naimhde taobh ó thuaidh díobh a choinneáil amach. D'airigh na hImpirí slán mar gheall ar Bhalla Mór na Síne agus ba bheag a meas ar na himpireachtai taobh thall de. Ach sa bhliain 138 R.Ch. chuir an tImpire Wu sluaíocht siar chomh fada leis an Afganastáin. Bhí iontas ar na Sínigh nuair a chonaic siad go raibh cathracha ann agus nuair a chonaic siad sibhialtachtaí na bPeirseach, na nGréagach, na Rómhánach agus na nIndiach.

Tuairim na bliana 100 AD chuaigh 70,000 d'arm na Síne siar chomh fada le Muir Chaisp. Cé go ndeachthas gar d'Impireacht na Róimhe ar an turas míleata sin ní raibh teagmháil dhíreach ar bith idir na Sínigh agus na Rómhánaigh. Ba iad na ceannaithe taistil an t-aon teagmháil amháin a bhí eatarthu. Síoda an t-earra ba mhó a dhíolaidís.

Ceannaithe ag margáil eatarthu féin. Chuirtí na hearraí ar aghaidh ó cheannaí go chéile feadh Bhóthar an tSíoda go sroicheadh siad na Peirsigh a raibh greim acu ar mhargadh an tsíoda ar thaobh na hEorpa den Bhóthar. Ar muin camall a chuirtí na hualaí – síoda, eabhar, séad, spíosraí, etc. Thaistealaíodh na ceannaithe ina mbuíonta mar chosaint ar robálaithe. Bhíodh orthu aistear fada a chur díobh thar shléibhte arda, thar ardchláir ghaofara, agus trí ghaineamhlaigh a bhíodh rósta sa lá agus nimhneach fuar istoíche.

Camaill dhá chruit ón mBaictria a bhíodh ag na ceannaithe mar go mbíonn siad teann ar a gcosa agus nach gcuireann an teas ná an fuacht as dóibh an iomarca.

AN SÍODA

Snáithín é an síoda a ndéantar éadach as. As cocún an tseiriceáin (bolb an leamhain síoda) a fhaightear an snáithín. Bíonn éadach síoda an-fhíneálta ach bíonn sé láidir teolaí éadrom bog freisin.

Bhí síoda á dhéanamh ag na Sínigh 3,000 bliain ó shin ach choinnigh siad ina rún é. Níorbh eol do dhuine ar bith san Eoraip cén chaoi lena dhéanamh go dtí an 9ú céad AD.

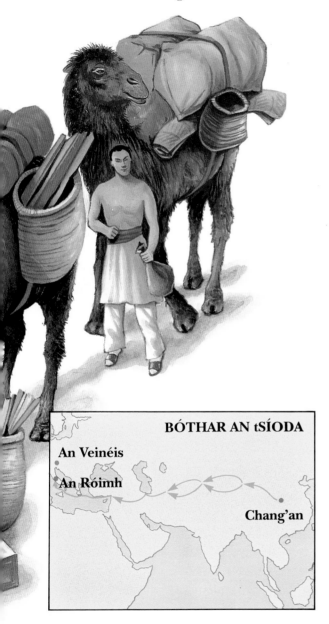

BÓTHAR AN tSÍODA

An Veinéis
An Róimh
Chang'an

Bóthar an tSíoda. Shín Bóthar an tSíoda siar ón tSín trí lár na hÁise chomh fada leis an Meánoirthear agus rachfaí as sin chun na hIodáile – chomh fada leis an Róimh nó leis an Veinéis. Faoin tráth ar thaistil Marco Polo an Bóthar seo sa 13ú céad ba shábháilte go mór é ná cúpla céad bliain roimhe sin i ngeall ar cheannas na Mongólach. Bhí tithe ósta agus ionaid scíthe feadh an bhealaigh.

BÓTHAR AN tSÍODA

Bhí ceannairí as tíortha eile sásta íoc go daor as síoda na Síne. Chaitheadh na ceannaithe cúpla mí chrua ar an turas anonn trasna na hÁise dóibh ach b'fhiú é ó thaobh airgid de ar deireadh.

Thugtaí an síoda feadh Bhóthar an tSíoda, an trádbhealach thar tír ba cháiliúla sa seansaol. Ba bheag ceannaí a dhéanadh an turas ar fad agus dhíoltaí an síoda feadh an bhealaigh cúpla uair. Ar na daoine a rinne an turas ar fad chun na Síne ón Eoraip sa 13ú céad bhí Marco Polo.

TURAIS CHUN NA hAFRAICE

Chuir na Sínigh longa i gcéin freisin. Idir 1405-1433 bhí an tAimiréal Cheng Ho ina cheannaire ar sheacht dturas mhóra mhíleata i gcéin. Bhí 300 long agus 27,000 fear sa chabhlach aige. Thug sé cuairt ar oirdheisceart na hÁise, ar Shrí Lanca, ar an India, ar an Araib, ar an Éigipt agus rinne sé taiscéaladh ar chósta thoir na hAfraice. Bíodh is gur éiligh na Sínigh go n-íocfadh na ceannairí áitiúla cíos leis an Impire níor chuir siad coilíneachtaí ar bun mar a chuir taiscéalaithe na hEorpa sa 16ú céad.

Seachas ór agus airgead, ní raibh suim ag na Sínigh in earraí tíortha eile. Dar leo ní bheadh dada ag eachtrannaigh nach mbeadh acu féin!

Sheoladh na ceannaithe as an Veinéis (sa phictiúr thíos) chomh fada le cósta thoir na Meánmhara áit ar thosaigh Bóthar an tSíoda chun na Síne. Bhí Bóthar an tSíoda breis is 6,000 ciliméadar ar fad ón bPeirs anonn trasna lár na hÁise chomh fada le Balla Mór na Síne.

CANÁLACHA AGUS SIUNCAÍ

Léiríonn na pictiúir bheaga mar a d'aistrítí bád ó leibhéal go chéile sa chanáil suas feadh fánáin agus anuas an taobh eile. Théadh tosach an bháid in airde ar an bhfánán ar dtús. Tharraingíodh an t-unlas níos airde í go mbíodh a tosach san aer (ar dheis thall). Bhíodh an bád idir an dá leibhéal ar feadh meandair. Anois tiontaigh an leathanach trédhearcach agus féach conas a shleamhnaigh sí chun cinn (thíos) isteach in uisce an leibhéil aird (ar dheis).

Ar iompar ar uisce a bhraitheadh na Sínigh chun earraí a thabhairt thart ar fud na tíre. Chuige sin thóg siad córas canálacha, a raibh fánáin nó rampaí agus loic iontu, chun na báid a aistriú ó leibhéal go chéile. Bhíodh longa ollmhóra ar a dtugtaí siuncaí ag iompar lastas ar an bhfarraige.

NA CANÁLACHA

D'aistríodh na Sínigh bia agus lón cogaidh ó áit go chéile ar na canálacha, e.g. ba bhuntáiste mór ag Ríshlíocht Qin í canáil Cheng Kuo (246 R.Ch.). Rinne na canálacha an tír a aontú freisin. Is amhlaidh a rinne Canáil Nua Pien (618 AD) ceangal idir an tuaisceart agus an deisceart trí sheanchanálacha a cheangal le chéile. Cuireadh an chéad mhír den Mhórchanáil ar bun sa bhliain 610 AD agus thugtaí arbhar uirthi ó na feirmeacha thart ar an Chang Jiang go Kaifeng agus go Luoyang. Sa 13ú céad chuir ceannasaithe Mongólacha na Síne leis an Mórchanáil chomh fada le Béijing chun gurbh fhusa arbhar a iompar agus chun smacht a choinneáil ar abhantrach na Chang Jiang. Thochail Ríshlíocht Ming canáil níos mó fós san áit chéanna agus úsáidtear fós í.

1 Bád á díluchtú
2 Bád beag in uisce éadomhain in aice leis an bhfánán
3 Fánán nó rampa
4 Unlas chun na báid a tharraingt feadh an fhánáin
5 Oifig agus stóras
6 Bád ag sleamhnú anuas den fhánán isteach in uisce ar leibhéal níos airde

Ó LEIBHÉAL GO CHÉILE

Ar thalamh chothrom a dhéanadh innealtóirí na Síne na canálacha agus mar sin is beag athrú a thagadh ar leibhéal an uisce. Gach 5 km chuiridís loic ina bhféadfaí leibhéal an uisce a ardú ar na canálacha. Bhíodh bac lomáin simplí orthu chun smacht a choinneáil ar shreabhadh an uisce. Tharraingítí na báid suas feadh fánáin dhéthaobhaigh le hunlas chun dul ó leibhéal go chéile. Ba mhinic a dhéantaí dochar do na báid de réir mar a shleamhnaídís de bharr an fhánáin. Ghoidtí an lastas corruair.

Sa 10ú céad AD tháinig an loc gabhála chun cinn. Bhíodh geata ag an dá cheann de fearacht loic nua-aimseartha agus d'fhéadtaí an loc a fholmhú nó a líonadh de réir mar a bheifí ag iarraidh bád a ísliú nó a ardú. Difear 1 mhéadar a bhíodh idir leibhéal an uisce in dhá loc agus uaireanta d'fhéadfadh ardú suas le 30 méadar (os cionn leibhéal na farraige) a bheith i gceist le sraith loc.

NA CANÁLACHA AG DUL I LÉIG

Mar go raibh eolas ag na Sínigh ar chóras na loc b'fhéidir leo na canálacha a thógáil i mbreis ceantar agus ní thriomaídís i gcaitheamh an tsamhraidh. Bhí báirsí 100 tona meáchain ar na canálacha faoin mbliain 1100 AD. Faoin uair a ndearnadh aithris ar chóras sin na loc san Eoraip i ndeireadh an 14ú céad bhí córas na gcanálacha ag dul i léig sa tSín féin.

LONGA

Tar éis do na hImpirí Mongólacha lonnú i mBéijing mar phríomhchathair i ndeireadh an 13ú céad tháinig méadú ar an muirthrádáil ó thuaidh.

Bhíodh na siuncaí a bhíodh ag na Sínigh ní ba mhó ná aon árthach Eorpach de chuid na Meánaoise. Ba láidre iad agus b'fhusa iad a ionramháil mar gur chun deiridh a bhíodh an stiúir orthu. Bhíodh iliomad bád beag eile ann freisin déanta as adhmad agus as bambú láidir.

Léiriú é seo ar bháid ag gabháil in airde ar fhánán chun dul go dtí loc canála eile. Tá bád tóinchothrom á tarraingt anall thar fhánán as an leibhéal íseal (ar clé) go dtí an leibhéal ard (ar dheis). Léiríonn an radharc trédhearcach freisin mar a dhéantaí báid na Síne. Ba é an dearadh céanna beagnach a bhíodh ar bháid bheaga na n-aibhneacha is a bhíodh ar na siuncaí farraige. Bhíodh cabhail láidir ar an mbád agus an stiúir ina deireadh. Ionaid thábhachtacha ba ea na fánáin i gcúrsaí trádála. Tabhair faoi deara na boscaí agus na málaí earraí, agus na póirtéirí ag iompar lastas le baraí rotha agus le coirbeacha. Tá lucht bád ag margáil ar an gcé faoi íocaíocht ar an gcéad lastas eile.

AN tIMPIRE

An tImpire i dteannta a chuid státseirbhíseach. Ba iad na státseirbhísigh agus a theaghlach féin an t-aon dream a mbíodh cead acu labhairt le hImpire na Síne.

> 'Bhí sé fíorchruálach ... d'ordaigh sé go ngabhfaí na gaolta ar fad, ar thaobh na máthar agus ar thaobh an athar, agus go gcuirfí chun báis iad.'
>
> *Leabhar staire oifigiúil an Impire Yung Le, 1402*

Bhíodh Impire na Síne scoite amach ón bpobal, é taobh thiar de bhallaí móra istigh sa phríomhchathair agus gan thart air ach na ginearáil agus na státseirbhísigh. Dia beag a bhíodh ann sa chúirt. Ba iad na státseirbhísigh a bhíodh i mbun an rialtais.

ACHRANN TEAGHLAIGH

Bhíodh feidhmeannaigh agus airí ag an Impire chun na dlíthe, etc. a chur i bhfeidhm ach ba aige féin a bhí an chumhacht ar fad dáiríre. Bhíodh na cúirteoirí ag iarraidh a bheith istigh leis, ní le cion air ach le faitíos roimhe.

Bhíodh faitíos ar Impire nua roimh a theaghlach féin agus mar sin ba dheacair leis bean chéile chuí a roghnú. Ní fhéadfadh sé banphrionsa eachtrannach a roghnú mar nach mbíodh ceangal idir an tSín agus tíortha eile agus ar aon nós ní bhíodh aon mheas ar eachtrannaigh. Mar sin, chaitheadh sé bean a fháil as measc na

n-uaisle sa chúirt. Ach go minic bhíodh gaolta na mná trioblóideach agus ba mhinic a chuiridís comhcheilg ar bun ina choinne. Bhí a réiteach féin ag an Impire Wu (140-86 R.Ch.) ar an scéal. Chuir sé gaolta na mná chun báis!

SIAMSAÍOCHT NA CÚIRTE

Thugtaí bia breá don Impire agus chuirtí siamsaíocht ar fáil dó chun go mbeadh sé sásta. I gcaitheamh an 15ú céad bhí 5,000 searbhónta agus cócaire ar fhoireann na cistine sa chúirt. Dhéanadh ceoltóirí, amhránaithe agus damhsóirí an t-am a mheilt idir bhéilí. Bhíodh ainmhithe andúchasacha i zú an Impire agus bhíodh plandaí i ngairdíní an pháláis nach mbíodh fáil orthu ach go hannamh.

AN STÁTSEIRBHÍS

Bhíodh an-chumhacht ag na státseirbhísigh maidir le rialú na Síne. Bhíodh cuid acu ag obair sa phríomhchathair agus cuid eile sna cúigí. Roinntí na cúigí ina maorachtaí agus ina gcontaetha agus bhíodh mionstátseirbhísigh i gceannas orthu.

Chun áit a fháil sa státseirbhís bhíodh ar fhear óg scrúduithe a dhéanamh – scrúdú

áitiúil i dtosach báire, ansin dá n-éiríodh leis go háitiúil scrúdú cúigeach agus ar deireadh scrúdú náisiúnta. Gach tríú bliain a thionóltaí na scrúduithe agus bhíodh ar na hiarrthóirí na Cúig Mhórshaothar le Confúicias a chur de ghlanmheabhair i gcomhair na scrúduithe.

I gclóis iata a reáchtáiltí an scrúdú chun nach mbeadh caimiléireacht ar bun. Bhíodh saighdiúirí ag faire ar na hiarrthóirí agus bonn airgid le fáil ag an té a n-éireodh leis breith ar dhuine i mbun caimiléireachta. Dhá lá a chaitheadh na hiarrthóirí ina bpríosúnaigh i gcealla beaga i mbun scuaibe agus dúigh agus iad ag éisteacht le hosnaíl a chéile!

Níor leor an scrúdú a bhaint le post a fháil. Chaithfeadh státseirbhíseach sinsearach tacú leis an iarrthóir agus cúram a dhéanamh de nuair a bheadh sé ceaptha ina phost. I ndeireadh an 15ú céad ní raibh ach 100,000 státseirbhíseach sa tSín ar fad. Ní cheaptaí ach duine amháin as gach 3,000 iarrthóir.

Cuid de phictiúr ón 17ú céad a léiríonn Siuen Li, Impire de chuid Ríshliocht Han, i dteannta scoláirí atá ag aistriú leabhair chlasaiceacha.

An té ar theastaigh uaidh a bheith ina státseirbhíseach chaitheadh sé scrúdú a sheasamh. Léiríonn an pictiúr seo ón 18ú céad iarrthóirí ag seasamh scrúdaithe chun go mbeidís ina ngiúistísí (breithiúna) ar fud na Síne.

Thugadh an tImpire camchuairt na hImpireachta corruair. Léiríonn an pictiúr seo an tImpire Kangzi agus an lucht leanúna a bhí á thionlacan nuair a bhí sé ar a chamchuairt sa bhliain 1699. Measadh gur cheannaire cóir é Kangzi mar lean sé treoracha Chonfúicias agus bhí meas aige ar thraidisiúin na Síne.

Spreag teagasc na Síneach daoine chun míniú a lorg ar na rudaí thart orthu. Bhí dúil mhór acu san eolaíocht agus chum siad an-chuid aireagán, e.g. an scáth báistí, an bara rotha, an eitleog, an t-abacas, páipéar, an roicéad púdair ghunna. D'úsáididís rothaí uisce chun muilte agus oird mhóra a chur ag obair. Rinneadh aithris ar chuid de na haireagáin in Iarthar Domhain, e.g. an compás stiúrtha.

Daoine ag scagadh gairbhéil i sruthán agus iad ar thóir stáin. Dhéantaí gual a thochailt freisin agus d'aimsítí salann agus gás le píobáin bambú.

Líníocht de chuid an 17ú céad faoi dhéantús síoda. Ba iad na mná a chothaíodh na seiriceáin, a scaoileadh an snáth síoda díobh, agus a dhéanadh an dathú agus an fhíodóireacht. Chreid na Sínigh go mbíodh faitíos ar na seiriceáin roimh strainséirí agus chuiridís ar an airdeall iad dá mbeadh súil le cuairteoirí sa teach.

'Ní chreideann na daoine a bhfuil oideachas orthu dada, ach creideann na daoine gan oideachas gach uile shórt.'

--- *Seanfhocal de chuid na Síne* ---

CÚRSAÍ EOLAÍOCHTA

Uaireanta bhíodh an draíocht measctha leis an eolaíocht ach go hiondúil ní chuireadh an rialtas bac ar na státseirbhísigh cuid dá gcuid ama a chaitheamh ag plé leis an eolaíocht. Státseirbhíseach ba ea Chang Heng (78-139 AD) ach ba mhatamaiticeoir agus ba réalteolaí freisin é. D'áirigh sé luach beacht ar phí (π) le ciorcail a thomhas, agus d'úsáid sé córas greille sa léarscáilíocht. Rinne sé seismeagraf freisin chun treocht creathanna talún a mheas.

AN TEICNEOLAÍOCHT

Cé nach raibh aon cheal oibrithe ar na Sínigh, mar sin féin chum siad teicneolaíocht chun an obair a éascú agus a luathú. Maidir le cúrsaí iompair chum siad an úim uchta nach dtachtfadh an capall mar a dhéanadh an tsean-úim mhuiníl. Is iad a chum an bara rotha. Úsáideadh é sa tSín ón 4ú céad AD i leith. Bhíodh seolta ar chuid de na baraí rotha.

MIOTAIL AGUS MEAISÍNÍ

Bhí na Sínigh ag saoirsiú an chré-umha ó ré Ríshliocht Shang i leith. Faoin mbliain 600 AD bhí siad in ann iarann múnla, iarann saoirsithe agus cruach a dhéanamh.

I gcaitheamh ré Ríshleachta Tang agus Song bhíodh cumhacht uisce á húsáid le hoird a oibriú chun miotail a ghaibhniú agus chun muilleoireacht a dhéanamh ar an rís. Chuirtí meaisíní teicstíle ag obair freisin le rothaí uisce. Bhíodh córas casta rothaí cromáin, rothaí fiaclacha agus slat loine ar na meaisíní sin.

go dtí an 12ú céad AD. Bhíodh longa na Síneach an-acmhainneach ar farraige. Bhíodh roinnt urrann uiscedhíonach i mbolg na loinge chun nach rachadh an long go tóin poill go héasca dá bpollfaí í.

Sa 12ú céad AD d'úsáideadh cabhlach Ríshliocht Song báid rotha. Daoine a d'oibríodh iad sin agus bhíodh 11 roth an taobh ar gach bád agus roth eile chun deiridh. Bhíodh crainn tabhaill iontu chun buamaí púdair ghunna a chaitheamh.

AIRM

Bhí na crosbhoghanna ab fhearr ag na Sínigh agus bhí teilgeoirí lasracha, brait deataigh agus púdar gunna freisin acu. Ón 10ú céad AD i leith baineadh úsáid as roicéid le haghaidh cogaíochta agus siamsaíochta. Faoin 17ú céad AD bhíodh batairí roicéad ag na hairm agus iad suite ar bharaí rotha.

PÁIPÉAR

D'fhógair ceardlanna an Impire sa bhliain 105 AD go raibh a fhios acu conas páipéar a dhéanamh. Bhí sé ar cheann de na haireagáin ba mhó sa tSín riamh. Tosaíodh ar an gclódóireacht ar pháipéar tuairim is 500 bliain ina dhiaidh sin arís. Ba iad na Sínigh an chéad dream a d'úsáid airgead páipéir.

Gléas a thugadh le fios go raibh crith talún ann. Dá mbeadh crith talún ann chorraíodh an luascadán agus thugadh sé ar cheann de na dragain scaoileadh le liathróid a thiteadh isteach i mbéal ceann de na froganna in íochtar.

Pictiúr ón 19ú céad ina léirítear dochtúir ag féachaint cuisle. Ar choincheap an yin agus an yang a bhí córas leighis na Síne bunaithe. Dhéanadh dochtúirí snáthaidpholladh ar 365 ball ar fud na colainne chun farasbarr yin nó yang a scaoileadh aisti.

Clog réalteolaíoch a rinne Sa Sun in Kaifeng sa bhliain 1092. Léiríodh rothaí agus sféir shoghluaiste athrú suímh ar na réaltaí agus ar na pláinéid.

CLOIG

D'úsáideadh na Sínigh cloig uisce, cloig ghréine, agus maidí túis marcáilte a dhóití, chun cuntas a choinneáil ar an am. Dhéanaidís spriongaí bambú le haghaidh clog freisin fearacht an chloig réalteolaíochta thuas. Ar uisce a d'oibríodh an clog thuas agus bhí gang air a bhaineadh gach uile uair an chloig.

LONGA

Ba iad na Sínigh a rinne na chéad chompáis mhaighnéadacha. Is amhlaidh a chuir siad adhmaint a bhí maighnéadach ó nádúr anuas ar iasc bréige adhmaid chun go snámhfadh sí ar uisce. Bhíodh snáthaid ar an iasc agus í dírithe ó dheas.

Le stiúir ina deireadh a dhéantaí ionramháil ar an long Shíneach agus b'fhearr í sin ná an maide stiúrtha. Úsáideadh stiúracha sa tSín ón 1ú céad R.Ch. i leith. Níor úsáideadh san Eoraip iad

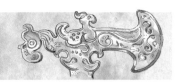

Bhí na healaíona agus an eolaíocht faoi bhláth i gcaitheamh ré Ríshliocht Song. Ach sa 13ú céad AD réab marcaigh Mhongólacha aduaidh agus níor leor roicéid ná teilgeoirí lasracha lena stopadh. Ghabh siad an tSín agus tháinig deireadh le Ríshliocht Song sa bhliain 1279 AD.

'Tá a gcuid capall chomh traenáilte sin malairt treo a chur orthu féin go ndéanann siad sin nuair a thugtar comhartha dóibh; rug siad go leor buanna leis an ionramháil sin.'

— *Marco Polo* —

NA MONGÓLAIGH

Níorbh fheirmeoirí iad na Mongólaigh ach saighdiúirí a raibh bunús a saoil caite acu ar muin capall ó bhí siad ina ngasúir. Ní nídís iad féin agus b'fhearr leo an machaire fiáin ná an baile mór.

Scanraigh na Mongólaigh ciníocha uile na hÁise agus na hEorpa. Barbaraigh ba ea iad, dar leis na Sínigh. Bhí siad ag súil go gcoinneodh an Balla Mór amach iad ach faraor níor choinnigh. Scrios arm **Gheingeas Cán** stáit Hsia agus Kin – stáit a bhí ar theorainn thuaidh na Síne. Faoin mbliain 1220 AD bhí formhór thuaisceart na Síne faoi smacht na Mongólach agus bhí an chuma air nárbh fhéidir iad a chloí. Rinne siad ionradh ar an Rúis freisin agus ghabh siad Bagdad na hIaráice sa bhliain 1258 AD.

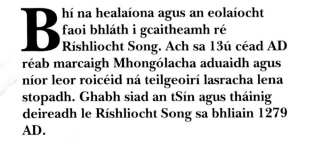

Cathair a bhfuil balla thart uirthi faoi ionsaí ag saighdiúirí Mongólacha. Tá dréimirí agus túir léigir acu chun barr an bhalla a bhaint amach. Throid na Sínigh in aghaidh na Mongólach go fíochmhar ach ní raibh siad in ann acu.

Ba shaighdiúirí ar muin capall iad na Mongólaigh a dhéanadh ruathar reatha agus saigheada á scaoileadh acu. Ach chuir siad eolas ar mhodhanna eile cogaidh go tapa, e.g. an chaoi le léigear ceart a dhéanamh agus an chaoi le hairm nua de chuid na Síne fearacht roicéad agus gunnaí móra a úsáid. Dá bharr sin ba dheacair iad a chloí.

An marcshlua Mongólach mar a léirítear é i lámhscríbhinn de chuid na Peirse. Chuir lucht eagraithe éirí amach sa tSín sa 14ú céad teachtaireacht i bhfolach i gcácaí milse a bhácáil siad le haghaidh Fhéile an Fhómhair. 'Maraigh na Mongólaigh,' an teachtaireacht agus d'ionsaigh na Sínigh na Mongólaigh.

mhaith phoist. Ach faraor, ní raibh spéis acu sa talmhaíocht ná i gcathracha na Síne.

ÉIRÍ AMACH

Faoin am a shroich Marco Polo an tSín bhí sí imithe i léig go mór. Chomhairligh daoine áirithe do na Mongólaigh a bheith cineálta leis na Sínigh agus go mbeadh rath ar an tír athuair agus go n-íocfadh na daoine cáin. Ach chomhairligh daoine eile dóibh gach uile Shíneach a mharú. Bhí an ghráin ag na daoine ar Ríshliocht Yuan mar gurbh eachtrannaigh iad.

Faoi lár an 14ú céad bhí deireadh le cumas cogaidh na Mongólach. Chuir na Sínigh cumainn rúnda ar bun agus d'ionsaigh siad na báirsí a bhí ar an Mórchanáil. Sa bhliain 1367 chuir Zhu Yuanzhuang – manach a bhí iompaithe ina mheirleach – éirí amach ar bun agus theith an ceannaire Mongólach. Rinne an meirleach impire de féin agus thug sé an t-ainm Ming Hong Wu air féin.

Ba iad Ríshliocht Ming a rialaigh an tSín idir na blianta 1368 agus 1644. Ba i gcaitheamh na tréimhse sin freisin a thosaigh Iarthar an Domhain ag cur a ladair i gcúrsaí na Síne.

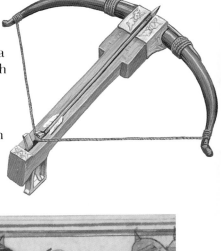

Crosbhoghanna a bhíodh ag na Sínigh in éadan na Mongólach fearacht an chinn thíos. Bhíodh crosbhoghanna móra acu freisin a láimhsíodh buíon saighdiúirí.

FAOI NA MONGÓLAIGH

Fuair Impire deiridh Ríshliocht Song bás sa bhliain 1279 AD. Faoin am sin bhí an tSín á rialú ó Bhéijing ag an gceannaire Mongólach **Cúbla Cán**. Rialaigh an ríshliocht nua – Ríshliocht Yuan – an tSín anuas go dtí 1368 AD.

Státseirbhísigh eachtrannacha a bhíodh ag obair do Ríshliocht Yuan, e.g. Marco Polo féin, a bhí ag obair do Chúbla Cán. Rinne na ceannairí nua sochar áirithe don tSín, e.g. bóithre maithe agus seirbhís

AN CHATHAIR THOIRMISCTHE

Sa bhliain 1421 shocraigh Yung Le, impire de chuid Ríshliocht Ming, go ndéanfadh sé príomhchathair de Bhéijing, seanchathair na Mongólach. Le himeacht ama rinneadh croílár na Síne de. Is ann atá an Chathair Thoirmiscthe, i.e. ceantar ar leith ina gcónaíodh an tImpire agus a theaghlach. Ní bhíodh cead isteach inti ag mórán Síneach agus ní ligtí eachtrannach ar bith isteach inti.

AN CHATHAIR THOIRMISCTHE
Ba léiriú ar ollchumhacht an Impire í an Chathair Thoirmiscthe. Chaith milliún oibrí deich mbliana á tógáil. Bhí móta uisce thart timpeall uirthi agus bhí go leor clós taobh istigh agus ballaí timpeall orthu. Bhí aghaidh ó dheas ar na geataí agus ar na lochtáin uile taobh istigh. Bhí an bealach isteach sa Chathair Toirmiscthe – an **Geata Mór** – fíor-mhaisiúil agus ní ligtí eachtrannach ar bith thairis.

Is éard a léirítear sa radharc trédhearcach seo ná an geata amuigh ar an gCathair Thoirmiscthe agus níos faide isteach Geata na hArdsíthe, i.e. an bealach isteach go dtí ríchathaoir an Impire. Ba iad na ceardaithe agus na healaíontóirí ba mhó le rá sa tSín a mhaisigh an Chathair Thoirmiscthe. Rinneadh ceardaíocht álainn ar ghiarsaí, ar lámhráillí, ar stuanna, ar staighrí agus ar dhealbha cloiche d'ainmhithe. Clúdaíodh le hór na cuaillí faoi na díonta agus snoíodh dragain thart orthu. As marmar geal lonrach a rinneadh na hurláir.

1 Halla i leataobh
2 Dealbha cloiche d'ainmhithe
3 Geata na hArdsíthe
4 Colúin adhmaid
5 Maisiú adhmaid agus é snoite péinteáilte
6 Balla snoite cloiche thart ar an gclós
7 Státseirbhísigh de chuid na cúirte
8 Halla i leataobh

40

AN CHATHAIR RÚNDA

Bhí clós ollmhór urláir leac taobh istigh den gheata agus abhainn ag sní tríd. Bhí cúig dhroichead ar an abhainn. I **Halla na hArdsíthe** a d'fháiltíodh an tImpire roimh chuairteoirí. Taobh thiar de sin bhí halla feithimh agus halla cóisire. In aice leo sin arís bhí altóirí, áit a ndéanadh an tImpire guí chun an Domhain seo abhus, chun na Gréine agus chun na Gealaí.

Bhí páirceanna, gairdíní, lochanna, pagódaí agus pailliúin sa Chathair Thoirmiscthe mar a mbíodh an tImpire, a bhean agus a chlann ag spaisteoireacht. Bhíodh roinnt scoláirí agus státseirbhíseach ina gcónaí agus ag obair sa Chathair ach saol uaigneach a bhíodh ag an Impire dáiríre. Coillteáin a bhíodh á chosaint.

Léiríonn an pictiúr seo a bhreátha a bhí saol an Impire i gcaitheamh ré Ríshliocht Qing nó Manchu (1644-1912). Is cuid suntais iad na státseirbhísigh, na gardaí cos agus na marcaigh ar chéimeanna na Cathrach Toirmiscthe. Istigh i Halla Mór na hArdsíthe bhíodh an tImpire ina shuí ar a ríchathaoir dhragain. Is í ailtireacht na bpálás ansiúd an ailtireacht is áille sa tSín. Árais mhóra lonracha atá ann – tá cuid acu breis is 100 méadar ar fad. Tá na brící dearg plástráilte agus an t-adhmad buí.

Bhí ard-mheas ar phoirceallán na Síne san Eoraip agus i Meiriceá. Rinneadh an pláta seo chun é a onnmhairiú aimsir Ríshliocht Ming san 18ú céad. Is éard atá ann fear agus cailín Síneach ag freastal ar fhear uasal agus ar mhná uaisle de chuid na hEorpa. Thugtaí lastais mhóra dá leithéid de photaireacht chun na hEorpa agus go Meiriceá. Dhéanadh monarchana potaireachta na dtíortha siúd aithris ar stíleanna na Síne.

Nuair a sheol longa de chuid na hEorpa isteach i gcalafoirt na Síne den chéad uair shíl na Sínigh gur dhaoine aisteacha nó foghlaithe mara iad na strainséirí. Níorbh áil leis na Sínigh caidreamh a bheith acu le hIarthar Domhain ach theastaigh ó thrádálaithe an Iarthair síoda, poirceallán agus tae a cheannach ó na Sínigh. Ba ghairid gur bhagair lucht an Iarthair longa cogaidh orthu. I méid a chuaigh an brú ón Iarthar agus faoi dheireadh cuireadh deireadh le córas Impiriúil na Síne.

MING AGUS QING

Mhair Ríshliocht Ming anuas go dtí 1644. Ansin ghlac ionróirí as an Manchúir ceannas ar an tSín. Ba iadsan Ríshliocht Manchu nó Qing agus ba iad na himpirí deiridh iad ar an tSín. Rialaigh Ríshliocht Qing an tSín mórán mar a rialaigh Ríshliocht Ming.

LONGA ÓN IARTHAR

Leis na céadta blianta roimhe sin thar tír a tháinig na hionróirí agus mar sin ba thábhachtach leis na Sínigh an Balla Mór. Tháinig deireadh leis an taiscéaladh thar lear, agus tar éis 1551 bhí sé mídhleathach ag long mhór Shíneach ar bith seoladh taobh amuigh d'fharraige na Síne féin.

Theastaigh ón tSín í féin a dhealú ón saol lasmuigh ach bhí an saol lasmuigh ag brú uirthi. Sa bhliain 1514 tháinig an chéad long Phortaingéalach chun na Síne agus go gairid ina dhiaidh sin arís tháinig ceannaithe Ollannacha agus Sasanacha. Chuir na hEorpaigh ionaid trádála ar bun. Ach, fearacht mhuintir na hEorpa trí chéile, ba bheag tuiscint a bhí ag na ceannaithe ar nósanna na Síne.

Feidhmeannach de chuid Chomhlacht Dúitseach na hIndia Thoir ag coinneáil súil ar bhoscaí tae atá á luchtú ar bhád de chuid an chomhlachta. Níor theastaigh ó na Sínigh trádáil a dhéanamh leis an Eoraip ná le Meiriceá ach le himeacht ama ní raibh mórán rogha acu mar bhíothas ag brú orthu.

AN tSÍN AGUS TÍORTHA EILE

Ba é Kangzi (1662-1722) an t-impire ba thábhachtaí ar Ríshliocht Qing. Ghabh a arm Taiwan, an Mhongóil agus an Tibéid. Bhí an chuma ar an tSín go raibh cumhacht as cuimse aici ach ní raibh.

I dtús báire ní ligfeadh rialtas na Síne do na hIartharaigh a bheith ag trádáil ach trí chalafort amháin – Guangzhou. Nuair nach bhféadfaidís a gcuid earraí monarchan a dhíol sa tSín thosaigh na hIartharaigh ag díol codlaidín ann. Ach bhí cosc curtha ag rialtas na Síne leis an druga sin agus thosaigh Cogadh an Óipiam sa bhliain 1839. Cloíodh na Sínigh agus b'éigean dóibh cúig chalafort a chur ar fáil do na hIartharaigh chun trádála. B'éigean dóibh freisin Hong Cong a thabhairt do na Sasanaigh.

DEIREADH LEIS AN IMPIREACHT

Idir 1851-1864 maraíodh na milliúin Síneach i gcogadh cathartha – Éirí amach Taiping. Ní raibh an tSín in ann ag cumhacht thionsclaíoch nó mhíleata thíortha an Iarthair. Faoi dheireadh an 19ú céad bhí an Bhreatain, an Rúis, an Fhrainc, an Ghearmáin agus an tSeapáin tar éis codanna den tSín a ghabháil.

Sa bhliain 1900 éiríodh amach in aghaidh na n-eachtrannach – Éirí Amach na mBocsar – ach buadh ar na Sínigh. Thriail rialtas Ríshliocht Qing na scoileanna agus na monarchana a thabhairt suas chun dáta ach bhí sé ró-mhall acu. Chuir réabhlóidithe faoi cheannas Sun Yatsen poblacht ar bun sa bhliain 1912 agus bhí deireadh leis an Impireacht.

AN CUMANNACHAS

Bhí cogadh fada ann idir na Náisiúnaithe agus na Cumannaithe ansin. Sa bhliain 1937 rinne na Seapánaigh ionsaí ar an tSín agus chuir siad le hanó na ndaoine. Faoi dheireadh, sa bhliain 1949 bhí an bua ag na cumannaithe faoi cheannas Mao Zedong agus thosaigh ré nua i stair na Síne.

Is iomaí athrú a tháinig ar an tSín ó shin: 'Réabhlóid Chultúrtha' na 1960-idí; athrú ansin chun an chineáil chéanna geilleagair atá in Iarthar Domhain (cineál Caipitleachais); agus iarracht ar rialtas daonlathach a bhunú sa tSín á bhrú faoi chois. Tá caidreamh idir an tSín agus an chuid eile den Domhan faoi dheireadh agus a chuma uirthi go mbeidh rath uirthi. Agus, ar ndóigh, tá Hong Cong ar ais faoi cheannas na Síne!

Sa léaráid seo ó tuairim 1850 tá tae á ghrádú agus á mheá chun a phacála. D'óltaí an-chuid tae sa Bhreatain ón 18ú céad i leith. I gcaitheamh an 19ú céad thugadh clipéir (báid seoil luatha) an tae ón tSín go dtí an Eoraip.

Sa léaráid seo tá siunca cogaidh de chuid na Síne á scriosadh ag long chogaidh de chuid na Breataine i gcaitheamh Chogadh an Óipiam. Faoin 19ú céad bhí an Eoraip agus Meiriceá chun cinn ar an tSín ó thaobh na teicneolaíochta de. Ba í an Réabhlóid Thionsclaíoch a thug an lámh in uachtar dóibh ar an tSín.

43

AN tSEANDÁLAÍOCHT

Trí stampa de chuid na Síne. Tá dealbh de Bhúda i bhFochla Yungang ar barr; Mazu, bandia na farraige i lár báire; mionsamhail de theach seanaimseartha as Fujian (thíos).

Ara agus oifigigh as an mbailiúchán samhlacha cré bruite a fuarthas i dtuama an Chéad Impire. Is fíor ar leith gach samhail bíodh is gur de réir córais fearacht líne cóimeála a rinneadh iad. Fuair na seandálaithe an-chuid eolais i dtaobh éadaí agus threalamh shaighdiúirí Síneacha na tréimhse sin de bharr na bhfíoracha seo.

Bhí an tSín scoite amach ón saol mór faoi réimeas na gcumannaithe ach sa lá atá inniu ann tá turasóirí ag gabháil chun na Síne agus tá trádáil ar siúl léi. Siúlann turasóirí ar an mBalla Mór agus déanann siad iontas de na hiarsmaí i dtuamaí na n-impirí. Ar ndóigh tá an eolaíocht nua-aimseartha tar éis cuidiú linn iontais na Sean-Síne a aimsiú.

AN SEAN AGUS AN NUA

I gcaitheamh na Réabhlóide Cultúrtha sna 1960-idí thriail Mao Zedong agus na cumannaithe seantraidisiúin na Síne a scriosadh, díreach mar a thriail an Chéad Impire na seanleabhair a dhó. Níor éirigh leo. Bíodh is go bhfuil monarchana agus ionaid mhearbhia sa tSín tá na seantraidisiúin beo bríomhar i gcónaí.

TOCHAILT

Cuireadh eolas ar sheanstair na Síne trí thochailt a dhéanamh ar thuamaí na ríthe. Ní raibh cead ag duine ar bith cur isteach ar na tuamaí sin roimh an 20ú céad, i.e. deireadh na hImpireachta. I gcaitheamh na 1920-idí a cuireadh tús leis sin nuair a rinne seandálaithe tochailt ar thuamaí Ríshliocht Shang in iarthuaisceart na Síne.

Thart ar an tráth céanna thángthas ar iarsmaí – 'Daoine Phéicing' mar a thugtar orthu – agus bhíothas den tuairim go raibh baint acu sin le daoine a mhair in uaimheanna fadó riamh sa tSín. Spreag sin suim mhór i seanstair na Síne. Bhíothas leis na hiarsmaí sin a sheoladh go Meiriceá sa bhliain 1939 ach níl a fhios ag aon duine cad d'imigh orthu. Bíodh sin mar atá déantar amach go raibh daoine cosúil le daoine an lae inniu ina gcónaí sa tSín 25,000 bliain ó shin.

AN tSEANDÁLAÍOCHT NUA-AIMSEARTHA

Sna 1950-idí thochail eolaithe tuama impire de chuid Ríshliocht Ming in aice le Béijing. Ba é sin an chéad tuama de chuid Ríshliocht Ming a tochlaíodh riamh. Fuarthas poirceallán agus rollaí síoda istigh ann agus dáta agus ionad a ndéanta orthu. Is cruthú é sin ar a chúramaí a bhíodh na státseirbhísigh agus na huaisle á n-adhlacadh acu. Is eol dúinn na nósanna maireachtála a bhíodh ag daoine fadó i gcaitheamh na hImpireachta de bharr mionscrúdú a dhéanamh ar sheargáin.

FIANAISE NA dTUAMAÍ

Is é an tuama is iontaí dár tochlaíodh riamh sa tSín ná tuama an Impire Shih Huang-di a tógadh 2,000 bliain ó shin. Bhí na céadta macasamhla cré bruite de shaighdiúirí istigh ann. Sa bhliain 1979 a aimsíodh é agus ba iontach go deo an feic é. De thimpiste a fuarthas é – is amhlaidh a bhí roinnt tuathánach ag déanamh tobair agus d'aimsigh siad é.

Eolaithe agus scoláirí rialtais is coitianta a aimsíonn tuamaí anois. Ach is minic gur folamh a bhíonn siad de bharr gadaíochta. Tá seandachtaí na Síne á ndíol ag gadaithe ach ní i gcónaí a éiríonn leo, e.g. fuarthas tuama réabtha a bhí 2,000 bliain d'aois in aice le Xian sa bhliain 1993 agus léarscáil de na réaltaí ar an tsíleáil. B'in rud nár éirigh leis na gadaithe a thabhairt leo.

Litir Shínise a chiallaíonn 'Ar ordú an Impire'.

A THUILLEADH EOLAIS

Is minic gur in iomaíocht leis an dul chun cinn a bhíonn an tseandálaíocht, e.g. faoi láthair tá rialtas na Síne ag tochailt tuamaí atá sa bhealach ar an damba nua (agus ar an taiscumar) atá le déanamh ar an Chang Jiang (Iaing-tsí).

Tá an saol lasmuigh tar éis eolas a chur ar ealaín agus ar dhealbhóireacht na Síne mar gur cuireadh taispeántais ar bun ar fud an Domhain. Tá eolas fairsing curtha ar aireagáin na Síne freisin agus tá glactha leo ag lucht teicneolaíochta Iarthar Domhain. Is mó an tuiscint atá ag turasóirí sa lá atá inniu ann ar an tír mar go bhféadann siad cuairt a thabhairt ar na láithreáin tochailte agus ar na músaeim sa tSín féin. Tuigeann siad go mbaineann leanúnachas thar cuimse le saol agus le sibhialtacht na Síneach le cúig mhíle bliain anuas, i.e. is í an tsaoithiúlacht leanúnach is sine ar domhan í.

Baineann stair leanúnach leis an tSín. Tá na soilse neoin sa phictiúr thuas nua-aimseartha ach tá an teanga agus na traidisiúin a chuaigh i gcion ar mhuintir na Síne agus a mhúnlaigh a n-aigne an-ársa.

DÁTAÍ TÁBHACHTACHA / GLUAIS

Níl sa leabhar seo ach cuid de na heachtraí a tharla sa tSín le 5,000 bliain anuas agus cuid de na héachtaí a bhain léi. Tá na ríshleachta móra agus na dátaí tábhachtacha a bhaineann leo liostaithe thíos.

An Tréimhse Luath: anuas go 1122 R.Ch.
Breis is 500,000 bliain ó shin: Fiagaithe agus cnuasaitheoirí na Clochaoise.
Tuairim 3000 R.Ch.: Na bailte agus na feirmeoirí tosaigh.
Tuairim 2200 R.Ch.: Ríshliocht Hsia atá sa scéalaíocht.
Tuairim 1500 R.Ch.: Ríshliocht Shang, saoirsiú cré-umha.

Na hImpireachtaí Tosaigh: 1122 R.Ch-618 AD
1122 R.Ch.: Ré Ríshliocht Zhou, agus ansin Tréimhse an Earraigh agus an Fhómhair agus Tréimhse Chogaí na Stát (770-221 R.Ch.).
Blianta 500 chéad R.Ch.: Confúicias, Lao-tzu. An chéad Impire Shih Huang-di.
202 R.Ch.-220 AD: Impireacht Ríshliocht Han. Thosaigh an trádáil leis an Eoraip.

3 Ríocht agus 6 Ríshliocht idir sin agus 581 AD. Tugadh an Búdachas isteach sa tSín.
581-618 AD: Ré Ríshliocht Sui. Tógadh an Mhórchanáil.

Na Ríshleachta Móra
618-907 AD: Rathúnas agus dul chun cinn i gcúrsaí ealaíne agus teicneolaíochta le linn ré Ríshliocht Tang. Cúig Ríshliocht agus deich Ríocht le linn na tréimhse seo – deachtóireacht mhíleata ar feadh scaithimh. Poirceallán agus clódóireacht.
960 AD: D'athaontaigh Chao Kuang-yin, ginearál de chuid Ríshliocht Song, an tSín.
960-1126 AD: Ré Ríshliocht Song an Tuaiscirt; chloígh fánaithe de chuid Kin iad.
1127-1279 AD: Ré Ríshliocht Song an Deiscirt. Ré Órga na péintéireachta agus na fealsúnachta. Thosaigh na Mongólaigh ar ionsaí a dhéanamh ar an tSín.
1279 AD: Deireadh le Ríshliocht Song.
1260-1294 AD: Cúbla Cán i gceannas.
1271-1297 AD: Marco Polo sa tSín.
1279-1368 AD: Chloígh na Mongólaigh na Sínigh; Impireacht Yuan.

Léiríonn an pictiúr seo den Impire Kangzi agus é ar a chamchuairt ar Kiang-Han bun agus barr na healaíne agus na fealsúnachta sa tSín. Tá an tír máguaird suaimhneach eagraithe. Baineann na crainn, na carraigeacha agus an abhainn leis an ngné shíoraí den saol agus tá an cúlra sin i gcodarsnacht le, ach fós i dtiúin le, fuadar an chine daonna.

46

Ríshleachta Ming agus Qin: 1368-1912

1368-1644 AD: Ré Ríshliocht Ming.

Béijing ina príomhchathair ar an tSín.

An Chathair Thoirmiscthe.

Thug longa na Síneach turais ar an India, ar an Araib, ar an Indinéis agus ar an Afraic.

Tháinig na chéad longa de chuid na hEorpa chuig an tSín: na Portaingéalaigh i 1514, na hOllannaigh in 1622, na Sasanaigh in 1637.

1644-1912: Ré Ríshliocht Manchu nó Qing.

1839-1842: Cogadh an Óipiam.

1851-1864: Éirí amach Taiping.

1900: Éirí Amach na mBocsar in aghaidh na n-eachtrannach.

AN GHLUAIS

barbarach: duine gan nósanna sibhialtachta áirithe; ba é a shíl na Sínigh gur bharbaraigh formhór na ndaoine as tíortha eile.

Búdachas: teagasc Bhúda (tuairim 563-483 R.Ch.).

coillteán: searbhónta fir a bheadh spochta, i.e. na magairlí bainte as.

cré-umha: cóimhiotal ina mbíonn copar agus stán.

crosbhogha: cineál airm lena scaoiltear saighead. Tochraistear an téad siar agus ansin scaoiltear an truicear.

fear feasa: fear a dhéanann fios ar a bhfuil i ndán do dhuine.

laicear: vearnais a dhéantar as sú crainn. Cuirtear snas ar adhmad leis.

lós: créafóg mhion bhuí.

marcshlua: saighdiúirí ar muin capall.

ríshliocht: sraith ceannairí a mbeadh gaol acu le chéile.

séad: cloch chrua bhán nó ghlas a ndéantar snoíodóireacht uirthi agus a ndéantar seodra aisti.

seandálaí: duine a dhéanann tochailt chun staidéar a dhéanamh ar shaol agus ar chultúr seanphobal.

státseirbhíseach: feidhmeannach rialtais a bhíodh ag obair ar son an Impire.

tiarna nó **duine uasal:** úinéir talún a mbíodh air troid ar son an Impire ar mhaithe lena chuid talún a choinneáil.

tuama: seomra adhlactha sa talamh.

tuathánach: feirmeoir bocht a bhíodh ag obair ar son tiarna talún ach a mbíodh talamh dá chuid féin aige freisin.

SLEACHTA

Ba é Pan Geng an rí de chuid Ríshliocht Shang a d'aistrigh an Chúirt Ríoga go Anyang sa bhliain 1400 R.Ch. Chaith an Veinéiseach Marco Polo (1254-1342 AD) 17 mbliana sa tSín agus ba é ba thúisce a chuir muintir na hEorpa ar an eolas i dtaobh na Síne. Bhí Lao-tzu ar fhealsúna móra na Síne agus is dócha gur thart ar 500 R.Ch. a mhair sé. Bhíodh an fealsamh Xunzi (315-236 R.Ch.) ag obair in acadamh i stát Qi. Scríobhtaí síos gnóthaí ríshleachta na Síne i leabhair staire oifigiúla. Ba insint achomair ar an bhfírinne chríonna é an seanfhocal nó an leagan cainte.

INNÉACS

FOCLÓIRÍN